MO BHEALACH FÉIN

Seosamh Mac Grianna

AN GÚM
Baile Átha Cliath

An Chéad Chló 1940
An Dara Cló 1941
Eagrán Nua 1965
Athchló 1968, 1970, 1984, 1997, 2004, 2010

ISBN 978-1-85791-250-0

Printset & Design Teo. a chlóbhuail in Éirinn.

Le fáil ar an bpost uathu seo:

An Siopa Leabhar,   *nó*   An Ceathrú Póilí,
6 Sráid Fhearchair,   Cultúrlann Mac Adam–Ó Fiaich,
Baile Átha Cliath 2.   216 Bóthar na bhFál,
ansiopaleabhar@eircom.net   Béal Feirste BT12 6AH.
                                           leabhair@an4poili.com

Orduithe ó leabhardhíoltóirí chuig:
Áis,
31 Sráid na bhFíníní,
Baile Átha Cliath 2.
eolas@forasnagaeilge.ie

An Gúm, 24-27 Sráid Fhreidric Thuaidh, Baile Átha Cliath 1

1

Deir siad go bhfuil an fhírinne searbh, ach, creid mise, ní searbh atá sí ach garbh, agus sin an fáth a seachantar í.

Is óg i mo shaol a chonaic mé uaim é, an ród sin a bhí le mo mhian, an bealach cas geal a raibh sleasa cnoc ar gach taobh de a ba deise ná aon chnoc dá bhfuil i gceol; agus anál aeir os a chionn a bhéarfadh bua ar aer an tsaoil mar bheir an fíon bua ar an uisce; agus seandroichid a bhí ag éisteacht le cogarnach srutha a fhad agus théid an chéad mhearchuimhne; agus bailte bánbhreaca idir neoin bhig agus béal maidne; agus clúideanna scíste a bhféadfainn suí iontu go n-aithnínn beo gach gas agus luibh iontu; agus rosanna scaite aislingeacha:

> Ar bhruach na toinne le taobh na Finne
> 'S mé 'féachaint loingis ar sáile.

Bealach nach bpillfeadh, bealach nach raibh ceangailte idir dhá cheann na himní. Cé a shamhlódh dom nár shiúil mé riamh é, mise rí-éigeas na nGael san fhichiú céad seo, in aimsir na hAiséirí? Cé a shamhlódh dom gur ar chomhairle leathchairde a mhair mé bunús an ama ó tháinig ann dom? Má b'olc a rinne mé an chomhairle sin b'fhada buan a d'fhan mé leath bealaigh idir a meas agus a drochmheas. Nach deacair don duine a bheith foighdeach liom má insím cén fáth? Nó tá eagla orm nach dtuigtear an fhírinne má insím í.

Ach goidé an gar dom a bheith ag scríobh mura dtuigtear mé? Inseoidh mé an fáth nár scar mé le mo leathchairde seal mór de mo shaol, an fáth nach ndeachaigh mé a fhad agus ba mhian liom ar bhealach an aoibhnis agus an tseachráin sí. Is fada an lá ó scar mé le cuid mhór den chathéide a bhíos ar bhunús achan fhear eile—post seascair agus barúlacha a fhóireas dá shó féin. Dá olcas mé bhí drochmheas riamh ar an méid sin agam. Ach bhí eagla fada buan orm romham féin. Níorbh iontas dom sin agus go raibh mo mhuintir féin anuas riamh orm, mar bheadh contúirt ionam a mbeadh an saol ceilte uirthi. Le fada riamh dá dtigeadh slaghdán ar dhuine eile dhéanfaí trua de; dá dtigeadh slaghdán ormsa ba mhór an náire dom é. Dá dtigeadh fearg ar dhuine eile ba sin an té nach ligfeadh a chnámh leis an mhada; dá dtigeadh fearg ormsa ba mé an tarbh de dhuine fhiáin. Dá ndéanadh duine eile éagóir bhí sé amuigh aige; dá ndéanainnse éagóir ní thiocfadh a dheireadh a inse. Ní thaitníonn an cineál seo Críostúlachta liom, más Críostúlacht í; ach tá cuid mhór di ar an tsaol. B'fhéidir go raibh neart éigin ionamsa nár thuig mé; b'fhéidir nach dtuigim mo neart go hiomlán go fóill. Ach fiafraím díbh, arbh iontas ar bith dom a shamhailt go rabhthas ag brath ceangal na gcúig gcaol a chur orm sula ndéanainn coir ar bith ? Throid mé ina aghaidh. Bhris mé amach as scoltacha agus as coláistí. Sa bhliain 1916 d'imigh mé as Coláiste Naomh Adhamhnáin ag brath a dhul in arm na Sasana, agus choinnigh Seachtain na Cásca cúl orm. Thréig mé coláistí eile, agus ina dhiaidh sin i gceann mo bhliana is fiche bhí mé i mo mháistir scoile dhéanta. Ach go bé go raibh a bheagán nó a mhórán comhairle orm, ach go bé go raibh eagla orm romham féin, ní bheadh léann ar bith inniu agam.

Ach ní bhfuair siad mo rún, agus má cuireadh comhairle corruair orm b'fhíorannamh é. Is fada an lá ó thuig mé go rabhthas ag iarraidh m'anam a bhaint díom. Ar an ábhar sin bhí mé docheansaithe agus bhí mo chuid tallannach ainmheasartha. Bhí mé seachantach. Scríobh mé scéalta agus b'fhéidir nach gcuirfinn i bprionta choíche iad ach go bé daoine eile; nó níor chreid mé gur chóir do fhile a chuid oibre a dhíol. I ndiaidh mo chuid scríbhneoireachta a dhul gos ard agus daoine a fheiceáil go raibh an bhua sin agam a bhí iontach gann in Éirinn le mo linn—bua na filíochta—bhíothas ag dúil, creidim, go roinnfinn mo shaibhreas. Ach níor roinn. Ní thiocfadh caint a bhaint asam. Níor labhair mé riamh ar an rud a bhí ar m'intinn. Bhí mé ag cosaint m'anama.

Chuir daoine a bhí in aice liom in iúl dóibh féin go raibh mé falsa. Ach chonaic na daoine sin ag obair mé, agus ag déanamh ní ba mhó oibre ar feadh ama áirithe agus á déanamh níos fearr ná thiocfadh le fear ar bith eile a dhéanamh. Thug siad iarraidh achan rud ó neamh go lár a chur in iúl dóibh féin, ach ní thiocfadh mo shocrú le haon bharúil amháin. Sin an bhua atá agam. Agus fá dheireadh d'fhág siad síos siar mé, cé gur mhair siad—mo leathchairde atá mé a rá—ag tabhairt cuirí chun a gcuid tithe dom ní b'fhaide ná ba mhian liom. Fá dheireadh d'fhág siad síos siar liom féin mé. Bhí sin nimhneach ó thús, ach d'éirigh mé cleachta leis. Bhí dúil riamh agam a bheith liom féin.

Bhí daoine in aice liom, ar ndóigh, a raibh meas mór acu orm ar feadh ar thuig siad. Ach bhí a fhios agamsa go raibh a ngorta ró-mhór, agus dá silinn mo shaibhreas orthu ó mhaidin go neoin agus ó sheachtain go seachtain nach sásóinn iad. B'fhéidir gur chuir mé éad agus cíocras orthu. B'fhéidir nár thuig mé an t-am sin mar thuigim anois gur dual dúinn a bheith ag baint an tsaibhris dá chéile. Tá dúil agam nach ndearna mé éagóir orthu.

Le fiche focal a chur in aon fhocal amháin, ar feadh bhunús dheich mblian bhí mé ar mo dhícheall ag iarraidh a bheith beo cosúil le duine cothrom ar bith, agus go bhféadfadh daoine dalla an domhain a aithint nach raibh mé mar bheadh duine cothrom ann. Bhí eagla orm dá gcuirinn mé féin i gcruachás nach gcuideodh aon duine liom.

Tá sé de nádúir ionam gur cuma liom is an diabhal fá dhuine ar bith. Neart ionracais agus uchtaí is cúis le sin. Ach bhí a fhios agamsa le fada riamh—nó tá mo cheann sean—gur fíordheachair a bheith ionraic má tá tú ró-bhocht, agus gur mar an gcéanna ag an uchtach é. Is fearrde na suáilcí dúshraith de mhaoin an tsaoil a bheith fúthu.

De thairbhe gur chumá liom is an diabhal fán chine dhaonna bhí mé ar an uaigneas. Ach b'amhlaidh ab fhearr mo shamhailt agus m'intleacht lena linn sin. Bhí mé saor ar an truailliú a thigeas ar an aigne i gcaidreamh le daoine.

Ach tá greim amháin ag an tsaol uilig orainn. Dá mhéad éagosúlacht dá bhfuil idir fheara tá goile uilig acu. Bhí goile agamsa, agus goile maith fosta. B'éigean a choinneáil lán. Bhí an t-arán le cuartú agus ní fhásann an chruithneacht ar an uaigneas.

Ní dhéanfaidh mé mórán cainte anseo ar na naoi scoil ar theagasc mé iontu, i naoi gcontae de chuid na hÉireann. Stad mé den teagasc fá dheireadh nuair a tháinig aisling chugam go raibh an domhan mór cruacheangailte le téada a bhí teannta aníos agus síos agus crosach ar a chéile mar na línte atá i leabhair rollaí. Níorbh fhéidir liom an saol a fhuilstin agus an feistiú sin air. An dara hobair a rinne mé ag cur Gaeilge ar leabhair. Bhí scéim ar bun ag an Rialtas le leabhair Ghaeilge a chur amach agus chuaigh mé dh'obair air seo.

An Rialtas a bhí ann san am, chan clú filíochta a ba mhó a bhí air. Níor chuir mé féin nó mórán eile suim ar bith sa Ghúm ó thús, amach ó a bheith ag magadh air. Chuir sé mo lorg agus thug sé leabhar dom le ateanga a chur uirthi. Bhí fáilte ag an Ghúm roimh achan duine an t-am sin, go dtí go raibh a oiread leabhar aige agus a bhí á choinneáil ar a chosa. Ach ansin d'éirigh sé doicheallach, agus tháinig eagla go háirithe air go saothródh aon duine cuid mhór airgid air. Ach bíodh ag sin go fóill. Dar liom féin, má bhí sé sásta airgead a thabhairt dom as obair a dhéanamh a bhí chomh furast le mo bhróga a cheangal, gur chuma cén t-ainm a bhí air agus gur chuma goidé an amaidí a bhí ag cur as dó.

Ach ní raibh mé i bhfad ag obair don Ghúm gur thuig mé nár chaitheamh aimsire ar bith é. Bhí mé ag obair le litríocht mar bheadh an té a bheadh ag cruinniú min shábha ag obair le hadhmad. Ba iad an dream iad a ba ghéire ar scríbhneoireacht a chonaic mé riamh. Dá dtigeadh seisear nó seachtar de na filí a ba mhó a mhair riamh chun an tsaoil ar ais agus iad a dhul sa Ghúm ní thiocfadh leo a bheith ní ba ghéire.

Bhí fir eile ag obair don Ghúm fosta, fir ar tharla go minic ina gcuideachta mé. Anois de bharr ar an ádh, aon uair dá mbímis i gcuideactha ní bhíodh aon ábhar comhrá againn ach an Gúm. Dar liomsa go raibh sé dona go leor a bheith ag obair dó agus gan a bheith ag caint air. Chastaí lucht aitheantais domsa anois agus arís agus d'fhiafraíodh siad dom: " An bhfuil tú ag cur Gaeilge ar na leabhair go fóill ?'' Bíodh a fhios agat go ndeachaigh sin go heasna. Mise a chruthaigh go dtiocfadh liom scríobh go filiúnta !

Bhí fuath agam ar an Ghúm, agus choinnigh an fuath sin drithleog bheo i m'anam ar fad go dtáinig an fhaill. Ba é mo mhian i gcónaí an Gúm a loit agus a scrios agus ba chuma liom mé féin a bheith thíos leis. Chan díth ná bhí mé ag baint tairbhe áirithe as. Ní raibh feidhm orm éirí agus deifir a dhéanamh ar maidin. Nuair a gheibhinn airgead, gheibhinn ina chnap é agus bhí sásamh áirithe agam a bheith á chaitheamh. Ach bhí ceangail orm os a choinne sin. Ní thiocfadh liom a bheith cinnte de na Státseirbhísigh. Rinne mé comhairle mo leathchairde agus níor shaothraigh mé barraíocht airgid agus ní dhearna mé barraíocht gleo ach ag foghlaim an tsaoil go suaimhneach ar mo dhóigh féin. Bhí a lán saoirseachta agam ach bhí a bheagán nó a mhórán de cheangal orm, agus bhí mé i bhfad ní ba ghonta ná an daoirseach a mb'éigean dó na huaireanta a choimeád.

Nuair a bhí mé ceithre bliana ag obair dóibh tharla athrach rialtais. Dar liom gurbh é báire na fola é. Ba sin i ndiaidh na Bliana Úire, 1932. Rinne mé féin agus daoine eile cibé a tháinig linn. Chuaigh daoine chun cainte leis an Aire úr. Scríobhadh altanna ar *An Phoblacht* ag cáineadh an Ghúm, ar eagla nár leor a dtiocfadh a dhéanamh " tríd chaineáil oifigiúla." Rinne muid ár ndícheall, nó bunús. Bhí mé féin sásta tuilleadh a dhéanamh. Ach ní éisteodh na fir eile liom. Ní raibh muid uilig ag cur le chéile nó baol air. Tá mé in amhras go raibh fear amháin ag iarraidh post a fháil sa Ghúm, agus fear eile a raibh eagla a bháis air go mbainfí leis an Ghúm, agus beirt nó triúr eile a bhí ar nós chuma liom, agus mise liom féin lom dáiríre.

Bhí scéal istigh san am sin agam, *An Droma Mór*, agus níorbh ionann é agus an conamar eile. Dar liom nach dtabharfainn de shásamh dóibh go gcuirfeadh siad ar ais chugam é. Chuaigh mé síos agus thug mé liom é. B'fhéidir nach bhfaca siad fearg ar dhuine san oifig riamh roimhe ach chonaic siad fearg ar dóigh ormsa an lá sin. Ní cuimhneach liom iomlán ar dhúirt mé leo, ach ar scor ar bith d'iarr mé an lámhscríbhinn a thabhairt chugam sula mbeirinn greim muineáil ar an fhear a raibh sí aige. Bhí lúcháir orm arís go ndearn mé seo. Dá mairinn ag cur Gaeilge ar leabhair don Ghúm i bhfad eile níorbh fhéidir don drithleog fanacht beo ionam. Bheadh gléas beatha agam ach bheinn mar bheadh duine ann nach mbainfeadh agus nach gcaillfeadh. Chaill mé—an toirtín mór agus an mhallacht—agus bhí cead agam a dhul mo bhealach féin.

Níorbh amhlaidh a chaith mé an chuid eile de mo shaol gan deoch gharg an tsaoil a bhlaiseadh. Is iomaí uair a bhí mé i gcontúirt bháis ón tráthnóna a léim mé isteach i seacht dtroithe uisce ar chladach uaigneach agus gan bang ar bith snámha agam, nuair a bhí mé i gceann mo dheich mblian. Nuair a tháinig an cogadh i 1920 bhí a bheagán nó a mhórán bainte agam leis. Níor thuig mé é, ar ndóigh. Níor cuireadh sinne i nGaeltacht Thír Chonaill faoi smacht riamh dáiríre. Sa bhliain 1602, bhris Ruairí Ó Dónaill an tóir a bhí ina dhiaidh as Ceann Sáile ag an Chorrshliabh agus ag Tráigh Eochaille. Rinneadh síocháin leis. Dá mbuailfí é chuirfí chun báis é. Tá formhór na saorchlanna sa Ghaeltacht againn go fóill —rud nach dtig a rá fá Ghaeltacht ar bith eile—agus is feasach dom féin Dlíthe na mBreithiún a bheith in úsáid i ngnoithe seilbh caoráin i mo pharóiste dhúchais go fóill. Chaith mé tamall i bpríosún ar son cúise nach raibh suim ar bith againn inti. Thug sé eolas áirithe ar an tsaol dom, cé gur bhain sé an mothú as m'intinn ar fhiche dóigh. Bíonn muid-inne ar an dúchoigrích i measc na nGall-Ghael. Ag smaoineamh air seo, tig rudaí beaga i mo cheann: an dóigh ar crosadh orainne nuair a bhí muid inár bpáistí óinseach a thabhairt ar mhnaoi, nó a rá go raibh aon duine míofar, nó bréagach a thabhairt do aon duine. Oideachas na n-uasal a fuair muid, go háirithe in Aileach, an áit a ba mhó cumhacht Gael sa tseanam. An rud is iontaí uilig gur fearr an capall rásaíochta sa tseisreach ná an gearrán trom. Cé gur séimhe an gráinnín atá inár gcuid fear-inne ní siad éachta oibre agus fulaingíonn siad anró a bhrisfeadh a gcroí sa Ghalltacht. Ach níl seachaint againn orthu agus caithfidh muid cur suas leo. Ós air a tharraing mé an scéal, tháinig mise tríd a lán rudaí agus bhain mé tairbhe astu. Ach ní raibh mé ag dul mo bhealach féin go hiomlán nuair a tharla siad dom. Is é an rud a ba mhaith liomsa an saol uilig a chur ar mhullach a chinn agus ansin bheadh draíocht i rud ar bith, dá mba do do thochas féin é. Go dearfa, ní abróinn go bhfuil cead ag duine é féin a thochas mar tá an saol fá láthair.

Ach, arsa mise, a Ghúm agus a chine dhaonna, toiseoidh mise mé féin anois ar neamchead daoibh!

2

Bhí mé ar lóistín an t-am seo i dteach ósta measartha mór. Bhí siúl a lán daoine ar an teach ósta seo; agus bhí fir a bhí ag obair ar pháipéir nuaíochta, agus lánúineacha as an tír a pósadh sa chathair, ag ruaig air go háirithe. Ach casadh daoine orm ann a tháinig as achan tír ón Ioruaidh go dtí an Astráil. Ach b'fhearr an t-ábhar scéalaíochta bean an tí ná an t-iomlán acu. Bhí fuil Ghiúdach inti, is dóigh liom. Bhí sí dubh, agus bhí dreach uirthi a raibh scéimh mhínádúrtha inti a bhéarfadh cathair i ndiaidh oíche i do cheann. Cé go raibh sí meán-aosta chuireadh sí a oiread datha ar a haghaidh agus dá mbíodh gan a bheith ar a hintinn ach iascaireacht fear. Bhí sí pósta ar fhear chéillí mhúinte agus bhí sé faoi chrann smola aici. Bhí sí dícheallach, saolta, santach; agus ina dhiaidh sin bhí sí ina file.

Títhear dom anois go raibh a oiread caitheamh aimsire agam sa lóistín sin agus a bhí i gceann ar bith de na cúig lóistín agus fiche a raibh mé iontu ó tháinig mé go Baile Átha Cliath an chéad uair. Bhí seomra beag agam thuas ar fhíormhullach an tí, suas ceithre staighre, agus nínn mo chuid scríbhneoireachta abhus i seomra an tsuíocháin agus mé i mo shuí ag an fhuinneog agus an pháirc thall os mo choinne. Bhíodh an seomra lán in amanna, go háirithe san oíche agus mé i mo shuí ansin ag scríobh. Idir achan dá abairt chuirinn cluas orm féin ag éisteacht leis an chaint a bhí fán tine. Bhí mac ag bean an tí—ní bheadh sé beacht a rá gur mac a athara ar chor ar bith é—agus bhí sé chomh hiontach léi féin. Buachaill mór toirteach a bhí ann agus ceann bricliath air. Ba ghnách leo a rá nach raibh sé ach dhá bhliain is fiche d'aois. Is cinnte go raibh cuma air go raibh sé cúig bliana déag is fiche. Bhí taom cráifeachta air chomh trom agus chonaic mé ar aon fhear riamh. Ní raibh ar a intinn ach creideamh. Ba mhian leis a scoil a fhágáil—máistir scoile a bhí ann—agus a dhul in Ord de chuid na hEaglaise. Thigeadh sé isteach sa tseomra agus fonn mór comhrá air achan tráthnóna, agus sula mothaínn bhínn ag díospóireacht leis. Bhí scéalta iontacha aige fá choirp naomh a mhair céadta bliain gan lobhadh, scéalta nár chreid mise ar chor ar bith. Ní hiad sin an seort míorúiltí a gcuala mise iomrá orthu sa Ghaeltacht ar chor ar bith, agus is iomaí uair a thug sé orm smaoineamh nárbh ionann an Creideamh Caitliceach sa Ghaeltacht agus sa Ghalltacht. Níl mórán cuimhne anois agam ar an tseanchas a bhí eadrainn. Is é an rud is soiléire a d'fhan i mo chuimhne a aghaidh dhorcha fheolmhar agus a cheann bricliath, agus an phian anama a bhí air. Agus d'inseodh a mháthair dom go raibh sé i dtólamh ag iarraidh a dhul isteach in Ord de chuid na hEaglaise, agus deireadh sí go mbrisfeadh sé a croí dá dtéadh. Chaill sí mac eile sa Choghadh Mhór i 1914. Scéal cinnte go raibh sí féin agus an mac seo doirte dá chéile; ní raibh ann ach iad. Bhíodh a níon ag duscaireacht agus ag cócaireacht ó mhaidin go hoíche. Bhíodh a fear sa chistin, agus níl a fhios agam, leis an fhírinne a dhéanamh, cé acu a bhíodh sé ag ní na soitheach nó nach mbíodh. Ach nuair a théadh bean an tí amach a spaisteoireacht ba é an mac a bhíodh léi. Nuair a théadh sí chuig pictúirí ba é a bhíodh mar chomrádaí léi. Bhíodh sé léi ar a cuid laethe saoire. Ba iad uaisle an teaghlaigh iad.

Ba mhinic bean an tí istigh agamsa ag caint ar an mhac, agus ag caint ar a cuid filíochta. Ba ghnách léi páipéir nuaíochta a thabhairt dom, páipéir ceantair. Bíonn coirnéal ag an fhile sna páipéir seo, agus ní raibh seachtain ar bith nach mbíodh an bhean seo ina suí i gcoirnéal an fhile sa pháipéar seo. Bhí sí ina cónaí i gceantar an pháipéir sula dtáinig sí go Baile Átha Cliath.

Is iomaí scoil filíochta sa Bhéarla. Ach ní feasach dom scoil ar bith a bhéarfadh an bhean seo i mo cheann, ach go raibh a cuid véarsaí claon beag cosúil leis na dánta a scríobh Mrs. Hemans agus a bhíodh sna leabhair scoile fada ó shin.

Níl a fhios agam an dtiocfadh liom a nochtadh do Ghael an cineál duine a bhí inti; má éiríonn liom Gaeilge a chur ar cheanń dá cuid dánta tuigfidh sé í:

Bhí tú liom in mo shiúl gach lá,
    Blianta fada ba tú mo ghrá;
Is iomaí sin scéal a chuala tú
    Dá mb'fhéidir leat a n-inse inniu.

Nuair a bhí mise óg agus tusa liom
    Ní bhínn gan bhród is ní bhíodh mo chroí trom;
Shiúlainn an bealach 'na bhaile mhóir,
    Is é déarfadh gach duine gur dheas mo dhóigh.

Ach tháinig an aois mar thig an oíche,
    Agus d'fhág sí mise agus tusa ag caoi;
Tá tú anois caite, gan suim, gan scéimh—
    Mo sheanmháilín sróil a bhí agam féin.

Shíl sí go raibh an deireadh iontach cliste, agus gur shíl achan duine gur leannán nó cara a bhí sí a chaoi. Bhíodh sí ag inse dom fá scéalta a ba mhian léi a scríobh dá mbíodh faill aici. Bhí sórt éigin scéil grá aici fá dhaoine a bhí ina gcónaí i gcaisleán sa Fhrainc, ach da mbíthí le mo chrochadh ní thiocfadh liom cuimhniú air. Bhí scéal eile aici a bhí sí a mhaíomh a chuirfeadh iontas ar an tsaol dá scríobhadh sí é. Ach ní scríobhfaí go brách é ar eagla go gcuirfeadh sé an t-olc i gceann daoine. Scéal fá bhean a raibh fuath aici ar a fear agus ar mhaith léi a chur chun báis. Thoisigh sí a thabhairt léinte taise dó go dtí go dtáinig créachta air, agus ní raibh an oiread de dhlí ar an domhan agus chruthódh gur mharaigh sí é. Bhí eagla uirthi go ndéanfadh bean éigin an gníomh seo dá scríobhadh sí an leabhar. Ach ba é an eagla a bhí ormsa go ndéanfadh sise lena fear féin é, nó bhí an dúfhuath aici air.

Bhí mé sa teach sin i rith geimhridh. Is iomaí duine a tháinig amach is isteach i rith an ama sin. Ach tugadh cuairt ormsa thuas i mbarr an tí nach raibh cosúil le cuairteanna coitianta. Tháinig teachtaire chugam as an aer. Oíche amháin ag dul suas a luí dom, agus mé ag meabhrú go mór fá mo chroí, fuair mé colmán ina sheasamh os cionn m'fhuinneoige. Bhí sé cosúil le teachtaire ó shaol eile, saol fairsing a raibh scáilí air agus contúirt ann, saol a mheallfadh thú mar bheadh ceol a chluinfeá i bhfad uait agus a dheas duit, saol an tslua sí. Dá bhfeicfeá colmán ina shuí os cionn na fuinneoige istigh i seomra agus an solas lasta, i lár na hoíche, thuigfeá an scéal. Bhéarfá fá dear chomh fiáin agus bhí a shúile agus gheofá amharc eile ar a chluimhreach agus mhothófá an crith beo a bhí ar a cholainn. Ní chuirfeá sonrú ar bith ann i ngarraí agus duilliúr ar a chúl. Ach ní raibh istigh anseo ach leaba agus prios agus pictiúir beag saor, agus bhí páipéar ar na ballaí, agus is é páipéar ballaí an rud is neamhdhúchasaí a rinne an duine. D'imigh mo sheomra beag seascair suarach mar scoiltfeadh splanc é agus réabhfadh séideán na farraige móire tríd. Chonaic mé léige mílte den spéir i súile an cholmáin sin agus chuaigh cathracha agus cuibhrinn agus linnte mara thart fúm agus mé ag fáil tormais orthu, i mo rí ar ríocht leitheadach na gaoithe.

B'fhéidir gurbh é an dúchas é, b'fhéidir gurbh é an oiliúint é, ach is é an chéad rud a rinne mé iarraidh a thabhairt an colmán sin a cheapadh. Ba sin an uair a bhí an seomra cúng. Bhí sé chomh cúng agus go roinnfeadh an colmán a chnámha air ach go bé gur oscail mé an fhuinneog. Thug sé léim fhada anonn trasna na sráide agus chuaigh sé le trí bhuille dá eiteoga gur sheasaigh sé thall ar crann. Mhair an léim fhada sin a bhí chomh huasal le toinn, mhair sí im aigne ó shin agus cnap bróin in aice léi.

D'inis muintir an tí scéal an cholmáin sin dom arís. Ba le ceannfort airm é. Chuir siad ceist orm an dtug mé fá dear an fáinne a bhí ar a chois, agus bhí fáinne ar a chois ceart go leor. D'imigh an ceannfort as an teach. D'imigh sé ón tsaol, cibé acu pósadh é nó fuair sé bás nó cuireadh i bpríosún é nó rinne sé cónaí in áit éigin eile. Ach ba ghnách leis an cholmán

15

pilleadh anois agus arís agus a theacht isteach ar an fhuinneog bairr agus cloch a chur i leacht an tseancheannfoirt.

Ba sin mo bhealachsa, an bealach a tháinig an t-éan gorm scaolmhar sin agus an bealach a d'imigh sé. Ba liom a ba mhaith imeacht ón fhuinneog bairr mar d'imigh an colmán, nó bhí deich bpunt de fhiacha orm. Tá mé ar fhear chomh hionraic, creidim, agus tá sa Domhan Thiar, ach de réir mar thuigim gnoithe airgid ní coir mhór deich bpunt a bhaint de bhean lóistín i ndiaidh bunús bliana a chaitheamh aici. Ar scor ar bith ní raibh deich bpunt ar an tsaol agam, agus níl dlí ar an riachtanas. Chuaigh mé a chur mo bhagáiste le chéile go faichilleach.

Ach má shamhlaíonn tú nach dtug bean an tí fá dear mé tá tú i do chodladh ar an tsaol. An dtug tú fá dear riamh an dóigh a gcuireann mada boladh coinín ? Ní hiontaí an bhua atá ag an mhada ná an bhua atá ag bean lóistín a aithne nuair nach bhfuil lóistéir iontaofa. Nuair a bhí mo mhála pacáilte agam chuaigh mé síos chuig mo dhinnéar agus bhí sí isteach sa mhullach orm.

"A Mhac Grianna," ar sise, "tá mé ag feitheamh le tú na deich bpunt sin a thabhairt dom. Tá a fhios agat, tá mo chuid fiacha féin le híoc agamsa, agus——"

"A bhean chóir," arsa mise, "is maith a thuigimse go bhfuil fiacha uilig orainn, agus go n-abair an Phaidir linn: ' Maith dúinn ár bhfiacha mar mhaithimidne ár bhfiacha féin.' D'inis mé duit go caoin cneasta nach dtigeadh mo chuid airgid chugam achan seachtain, ach fada buan a bheadh sé amuigh go raibh mé cinnte de. Thug tú faill roimhe dom mo chuid fiacha a íoc agus tá mé cinnte go bhfuil tú sásta a dhéanamh arís."

"Tá sin maith go leor," ar sise, "ach ní fhóireann sé dom lóistéirí a choinneáil nach n-íocann achan seachtain mé. Tá costas an tí mór. Beidh mé ag dúil leis an airgead sin uait ag deireadh na seachtaine."

"Maith go leor " arsa mise, " gheobhaidh tú é ag deireadh na seachtaine, dá mba i ndán is go gcaithinn an léine atá ar mo dhroim a dhíol. Ná bíodh eagla ort, a rún, go ligfidh mise anás ort. Tá a fhios ag Dia orm go bhfuil do sháith cúraim ort agus tú do chuid fiacha a fháil san am chóir."

Chuir mé ó dhoras í agus ní raibh ann ach é. Bhí sí ag smúracht fá dtaobh díom i rith an lae. Ach chuaigh mé isteach i seomra an tsuíocháin agus chrom mé ar leabhar agus ní aithneofá orm (mura mbítheá i do bhean lóistín) go raibh rún imirce agam ach a oiread le Carraig an Dúin.

An lá arna mhárach choimhéid mé í i rith an lae go bhfaca mé í ag dul amach ar an tsráid agus í cóirithe. " Ar faitíos go mbeifeá lá mall ar an chlár thall imir do bheart," arsa mise, agus suas an staighre liom chomh furchaidh agus chomh faichilleach le cat i ndiaidh éin. Nuair a chuaigh mé isteach ar dhoras mo sheomra thug mé fá dear nach raibh mo mhála pacáilte nó baol air agam, gur fhág mé amuigh an chuid a ba tairbhí de mo bhagáiste. D'oscail mé an mála agus dhing mé isteach ann an méid a tháinig liom. Agus dálta mhálaí an tsaoil ní raibh dul agam a dhrod ansin. Bhí go dona, agus gan faill nó fairsingeach agam mionnaí móra a thabhairt. Ach thug mé iarraidh mhillteanach urrúnta fá dheireadh agus dhruid mé é. Chuaigh mé go dtí an doras ansin agus chuir mé mo cheann amach. Bhí an teach chomh suaimhneach agus gur chreathnaigh mé. Chonacthas dom gur fhan mé uair sula ndeachaigh mé síos an chéad staighre gur amharc mé ar na doirse a bhí fúm. Go dearfa, dá mbíodh gan an ghrian a bheith le mo cheartú déarfainn go ndeachaigh seachtain thart sular bhreathnaigh mé mo bhealach agus sular éirigh liom an mála a thabhairt síos go dtí an t-urlár íochtarach.

Bhí mé fá thrí choiscéim de dhoras na sráide nuair a foscladh doras sheomra an tsuíocháin agus tháinig bean an tí romham, agus gur shíl mé go raibh sí míle ón teach ! Cé a shéanfas go bhfuil draíocht ag mná lóistín ?

" Fóill ! fóill ! " ar sise, agus ba í a bhí dána. " Níl tú ag imeacht go dtuga tú mo chuid féin domsa."

" Seo, seo ! " arsa mise. " Níl pingin rua agat orm agus ná síl go bhfuil tú ag dul a shuí i mo bhun. Ní ligfinn d'aon duine dá bhfaca mé riamh sin a dhéanamh." Agus thug mé iarraidh siúl thart léi.

"Hóigh, 'Chearúill!" ar sise. "Hóigh, 'Chearúill!"

Goidé a bhí an mac ach taobh amuigh den doras, díreach romham. Chuir sé a lámh le doras an ghloine agus tháinig sé isteach. Chuir sé a lámh ar mo mhála.

Ansin tháinig gach braon tae gan bhlas, agus gach duilleog éadrom aráin, agus gach cur i gcéill agus sceith fhrogann de dhinnéar dá bhfuair mé riamh i mo cheannsa. Chonaic mé mo chúig lóistín agus fiche in aon léaró amháin. Rinne mo chuid uaignis agus mo chuid anáis bladhaire i mo chroí. Tharraing mé mo lámh agus chnag mé an boc bricliath beannaithe. Thug mé dorn millteanach dó. Shíl mé gur bhris mé a raibh de ailt i mo láimh. Thit sé maol marbh mar bhuailfí le tua chatha gallóglaigh é. Agus bhí léim an dorais agamsa.

Bhí coirnéal in aice liom agus chuaigh mé thart air. Má leanadh mé ní tháinig an tseilg de mo chomhair. Ach ní raibh mé i bhfad ag siúl agus an mála liom go raibh mé féin sa tóir orm féin. Chuir mé in iúl dom féin gur fhág mé fear marbh i mo dhiaidh agus go raibh mo cheann i nguais agus mo chontúirt le léamh ar chlár m'éadain. Dar liom go raibh daoine ag seachaint mo shúl. Chonaic mé garda mór graifleach taobh thall díom agus bhí mé cinnte go raibh mé aithnithe aige, agus chuaigh mé thart coirnéal eile mar bheadh easóg ag dul tríd chlaí.

Bhí mo chiall agus mo chéadfaí agam, ar ndóigh, agus bhí a fhios agam nach dteilgfí chun mo chrochta mé as dorn a bhualadh ar fhear. Ach ó ba liom a bheith ar mo sheachnadh, dar liom go raibh sé chomh maith agam a chur in iúl dom féin gur mharaigh mé fear agus go raibh díoltas an chine daonna do mo sheilg. Agus ansin ar mo choiscéim chonaic mé teach ósta a chuirfeadh in iúl dom de mo cheart míle ainneoin gur mharaigh mé fear. Bhí dreach air cosúil le áit a rachadh duine i bhfolach. Ní raibh cuma air gur bhain aon duine faoi riamh roimhe ann. Cé go raibh mé eolach ar achan uile choiscéim den taobh sin den chathair, agus go raibh aithne shúl ar leath na ndaoine a bhíodh ag siúl na sráideanna agam, ní thug mé fá dear an teach ósta sin riamh go dtí sin. Bhí ainm an tí os cionn an dorais ina litreacha móra bras, ach bhí sé briste agus an chéad leath de caillte, agus d'fhéadfá a rá gur teach gan ainm é. Shiúil mé isteach.

Tháinig cailín dorcha gruama chugam ar ball beag as áit uaigneach éigin i gcúl an tí. D'iarr mé lóistín agus cuireadh seanleabhar i mo láthair, agus dar leat ar an duilleog nár leagadh peann uirthi ó scríobhadh Leabhar na gCeall. "Ó loisc mé an choinneal loiscfidh mé an t-orlach," arsa mise liom féin, agus scríobh mé " Cathal Mac Giolla Ghunna."

Bhí mé cinnte an t-am seo go raibh fear marbh i mo dhiaidh.

Chaith mé an oíche sin i mo shuí i seomra mhór fhairsing a raibh drochsholas ann agus uaigneas millteanach. Ní raibh aon duine ag teacht amach nó isteach ach beirt nó triúr a bhí cosúil le scoláirí ollscoile. Bhí siadsan thall sa taobh eile den tseomra agus dar liom go raibh ceathrú míle idir mé féin agus iad. Bheirinn corrshúil anonn orthu agus mé ag smaoineamh: Dá mbíodh a fhios agaibh an gníomh atá déanta agam ! Agus dheamhan i bhfad go bhfacthas dom gur aithin siad éag-samhalta mé, agus ansin thug mé iarraidh mo dhreach a cheilt chomh maith agus tháinig liom. Thugainn iarraidh ansin smaoineamh goidé an cleas ab fhearr le éaló ar mo námhaid, ach ní raibh dul agam maith a dhéanamh. Ba é an rud arbh fhusa liom smaoineamh air an tseilg a bhí i mo dhiaidh. Ba léir dom na gardaí ag tarraingt orm. Bhí siad ag cur sealáin fán tseanteach seo. Bhí siad fá fhad cogair dom agus iad ag fanacht go nochtainn mé féin. Bhéarfadh siad orm agus bheadh ábhar iontais agus scéalaíochta acu, agus bheadh fad saoil acu dá thairbhe agus a mhalairt agamsa. Bheirinn mo shúil ar an doras go bhfeicinn an raibh dada ag cur coiscridh faoi mhuintir an tí. D'amharcainn anonn trasna an urláir ar na daoine óga a bhí ina suí thall ag an tábla. Fá dheireadh d'imigh siad uaim agus d'fhág siad liom féin mé.

Níor fhulaing mé scáilí an tseomra sin i bhfad. Bhí achan

rud dá raibh ann briste, brónach, agus coincleacha air. Bhí na cathaoireacha creapalta agus bhí seanchlog os cionn na tine a raibh sé a trí uirthi b'fhéidir le fiche bliain. Bhí dia de chuid na Gréige in aice léi agus leathchos briste de, agus chaithfeá a rá nuair a d'amharcfá air:

Tá an Teamhair 'na féar agus féach an Traoi mar tá !

Bhí an seomra filiúnta, cinnte, dá mbíodh duine i ndiaidh siúl isteach as láthair grinn. Ach nuair a d'fhág mé an ghruaim i mo dhiaidh bhí sé barraíocht agam. Dúirt mé go rachainn suas ionsar mo sheomra, agus go n-amharcainn amach ar thuile na sráide, agus go mbainfinn sult as an éachta a bhí déanta agam. Thuas ansin, dar liom, dhéanfaidh mé beag den bhodach bhricliath bheannaithe a bhí in aghaidh mo nádúire agus a d'fhág mé sínte ina chorpán i mo dhiaidh. Chuaigh mé suas agus shuigh mé ag an fhuinneog agus chuaigh mé a chaitheamh tobaca. Ach go bé an tobaca ní bheadh ríodh liomsa; chuirfinn ceangal na gcúig gcaol ar a bhfuil ó theach Mhór Ní Odhráin go Sliabh Rife. Scrios Dé orm má tá mé ag déanamh focal bréige ! Bhreathnaigh mé amach an tsráid, agus má bhreathnaigh ba bheag an tsuim í. Bhí neart daoine ag siúl thart, cuid ina dtost agus cuid ag caint. Bhí teach ósta anonn uaim agus fear ina sheasamh ag an doras mar bheadh sé ag fanacht le duine éigin. Bhí gléaradh solais istigh agus cuma ar an teach go raibh dinnéar nó cruinniú nó caitheamh aimsire éigin ar cois ann. Bhí rud éigin amaideach fán teach ósta sin agus fán tsráid uilig. Dar liom riamh gur páistí a rinne an chathair, daoine beaga lagintinneacha nach dtiocfadh leo sliabh a bhriseadh agus nach mbeadh beo ar chor ar bith ach go bé go bhfuil na fir a bhriseas an sliabh caíúil le páistí. Agus ansin tháinig an dara smaoineamh liom, nach raibh ach cur i gcéill ina gcuid baoise agus gealgháirí agus go raibh an chontúirt iontu ar a chúl sin, gur námhaid dom iad agus go mbeadh siad uilig d'aontaobh ag baint díoltais asam as an bhoc bhricliath bheannaithe a mharú. Tháinig deifre ar m'intinn agus smaoinigh mé go gcaithfinn an áit seo a fhágáil chomh tiubh géar agus thiocfadh liom agus mo bhealach a fholach chomh maith agus b'fhéidir.

Níl dóigh ar bith, arsa mise liom féin, ar fusa moill a bhaint as sealgairí ná neart ábhar smaointe a thabhairt dóibh. Dá mbínn ag siúl ar ghaineamh agus an tóir i mo dhiaidh ní dhéanfainn trí nó ceathair de lorgnacha ar chor ar bith. Thuigfí as sin. Ach chuirfinn a oiread coraíocha sa lorg amháin agus nach mbeadh a fhios cé acu ar meisce nó ar mire nó ar dúsheachrán a bhí mé, agus shiúlfainn amach san fharraige i ndeireadh ama agus shnámhfainn míle ar ais an bealach a tháinig mé. Athróidh mé mo chuid éadaigh agus athróidh mé m'ainm arís. Agus idir thram agus thraen agus bhus rachaidh mé thart an chathair go raibh mé cóngarach don áit a d'fhág mé. Shásaigh sin mé agus chuaigh mé a luí.

Bhí suim mhór i mbrionglóidí riamh agam, agus is dóigh liom go raibh corrthamall i mo chodladh agam nach raibh a leithéid muscailte agam. Ach an oíche seo ní raibh mo shamhailteacha chomh soiléir agus ba ghnách leo. Creidim go raibh an intinn ró-bheo i rith an lae. Bhí mé tuirseach agus chodlaigh mé go sámh, nó níl rud ar bith is mó a thuirsíos an cholainn ná masla na hintinne. Nuair a mhuscail mé ar maidin bhí mé cúig nó sé 'bhomaití ag amharc amach ar an lá gheal sular smaoinigh mé gur mharaigh mé an bodalán breac beannaithe.

D'éirigh mé agus rinne mé mo bhricfeasta. Chuaigh mé amach ansin gur cheannaigh mé culaith úr. Aimsir shamhraidh a bhí ann agus ní raibh culaith den fhaisean daor. Agus ansin thuig mé an chéad uair i mo shaol chomh deacair agus bhí sé rud a fholach sa chathair; ní raibh a fhios agam cá gcuirfinn an tseanchulaith. I ndiaidh achan phlochóg dá raibh sa teach ósta a chuartú níor shásaigh aon cheann acu mé. D'amharc mé fá choirnéal na sráide go bhfeicinn an raibh stócach bratógach ar bith a bpronnfainn air í. Ansin chonacthas dom nach raibh sin faichilleach go leor. Fá dheireadh smaoinigh mé ar na trí mheall bras a bhí sa dara sráid díom agus " Oifig Airgid " ina litreacha móra os cionn an dorais, mar bheadh difig de chuid an Rialtais a bheadh fiúntach agus neamh-ohoicheallach go leor lena hainm a fhógairt.

Níorbh é an chéad uair dom é a bheith i siopa garaíochta. Is cuimhin liom uair amháin a chuir mé mo chlog póca isteach; agus chuaigh mé coicís ina dhiaidh sin agus mé cóirithe mar bheadh mac tiarna ann, agus lán doirn de nótaí i mo phóca, gur fhuascail mé í. Ní raibh an siopa seo ar m'eolas, agus b'amhlaidh ab fhearr é. Síos liom.

Bhí fear a raibh giallbhaigh throma air sa tsiopa. D'amharc sé go hamhrasach orm.

" Cá mhéad ?" ar seisean.

Ní raibh mé maith riamh ag réiteach le lucht siopaí. Tá eagla orm go n-abair mo dhá shúil go sothuigthe: " Gabh go leacacha Ifrinn, a bhacach na leithphingneach." Ní raibh siopa ag aon duine dá dtáinig romhamsa. B'fhéidir go raibh siad ró-bhocht, ach tá dúchas éigin ar chúl an bhróid. Tá mé cinnte go bhfuil fuil na saorchlann go láidir ionam ar scor ar bith: Dálaigh agus Baíollaigh agus Gallchóirigh. Agus deir an *Leabhar Gabhála* go raibh fear de Chlainn Mhic Grianna ina rí ar Éirinn nuair a tháinig Clanna Míleadh.

" Punt," arsa mise.

" Leathchoróin," ar seisean.

" Idir leathchoróin is punt," arsa mise.

" Trí scillinge," ar seisean.

" Maith go leor," arsa mise; "is duitse is fearr a fhóireas sí; tá sí róchaite le mise a tabhairt liom."

" Cén t-ainm ?" ar seisean.

" Art Mac Cubhaigh," arsa mise.

" Cén seoladh ?" ar seisean.

" Úir-Chill an Chreagáin," arsa mise go leathíseal.

" Goidé sin ?" ar seisean.

" Teach Ósta na Binne Brice," arsa mise.

" Níl eolas agam air," ar seisean.

"Tá sé ag coirnéal Shráid a Leithéid Seo," arsa mise.

Chonaic mé é ag scairtigh ar bhuachaill agus ag labhairt

leis nuair a bhí mé ag fágáil an tsiopa. Dar liom féin, tá sé ag cur teachtaire go Teach Ósta na Binne Brice. Bhain mé an bus amach chomh tiubh géar agus tháinig liom. Chuaigh mé ar bhus amach an taobh ó dheas den bhaile. Tháinig mé de leath bealaigh agus chuaigh mé anonn sráid chúil go ndeachaigh mé ar thram a bhí ag dul isteach chun na catrach. Tháinig mé de sin leath bealaigh agus rinne mo bhealach go dtí teach tábhairne a bhí scoite ó na slóite.

D'ordaigh mé buidéal leanna agus tharraing mé amach páipéar nuaíochta a bhí ceannaithe liom. Chuartaigh mé na lóistíní a bhí fógraithe ann go bhfuair mé ceann a bhí ag fóirstean dom. Ach an té atá cleachta le cuid mhór léitheoireachta ní bhíonn greim ag a intinn ar rud ar bith a léigh sé murab fhuil éifeacht ann; agus ar ndóigh níl filíocht ar bith i bhfuagra lóistín. Tharraing mé amach mo pheann go gcuirinn marc air. Ansin bhuail smaoineamh aisteach mé. Má chuirim marc ar an fhuagra seo, dar liom, agus mo námhaid greim a fháil ar an pháipéar, tá na glais orm. Níl a fhios agam an dtig liom é a mharcáil le leann. Chuir mé deor den leann air agus d'fhág sé lorg air, ach bhí eagla orm go n-imeodh an lorg nuair a thriomódh sé. Chuir mé marc ansin ar imeall an pháipéir os a choinne, trí cholún anonn.

Nuair a bhí mo dheoch ólta agam chuaigh mé caol díreach go dtí an lóistín. Bhí tús agam agus fuair mé é.

Nuair a bhí mé trí nó ceathair de laethe ansin, agus gan lá tuairisce a dhul orm, chuimhnigh mé nár mharaigh mé an fear bricliath ar chor ar bith. Tháinig cineál de náire ansin. Dar liom gur bheag an tsuim mé nár mharaigh é nuair a bhí mé ina cheann. Goidé an mhaith dom a dhul mo bhealach féin an uair nár chuir mé leacht ina sheasamh a n-amharcódh an dara duine a thiocfadh i mo dhiaidh air agus a n-abródh sé nach bhfaca sé a leithéid riamh roimhe? Bhí an oiread de mhíshásamh orm agus go ndeachaigh mé amach ar fud an bhaile mhóir ag brath an chéad duine a chasfaí orm a mharú. Ach d'imigh an diabhal ar mhuintir Bhaile Átha Cliath. Nuair a bhíos duine sochma socair suaimhneach bíonn siad chomh confach le heasóga. Agus nuair a bhíos duine réidh lena gcnámha a roinnt ar a chéile bíonn siad chomh mín mánla le huain chaorach.

3

Nuair a bhí mé socair sa lóistín úr thoisigh mé a smaoineamh goidé an dóigh ab fhearr le mo bheatha a shaothrú. Is cuimhin liom gur smaoinigh mé dá mbíodh uamhach agam amuigh i gcuid cnoc Chill Mhantáin go bhféadfainn caoirigh agus prátaí agus fiche rud eile a ghoid. Chonaic mé mé féin go soiléir i mo luí go sásta, ar mo shleasluí ar chraicne caorach, agus gan éad ná urchóid de mo chomhair. Bheir an smaoineamh a oiread de ghreim orm agus go ndeachaigh mé anonn chun na leabharlainne agus gur bhreathnaigh mé na léarscáilí go bhfeicinn cén áit ab fhearr le mo dhún a dhéanamh. Bhí mé idir dhá chomhairle cé acu Gleann Mhaoiliúra nó Bearna na Sailí ab fhearr. Bheadh sé riachtanach a bheith in aice uisce agus i bhfad ó shiúl daoine agus chomh cóngarach do bhia agus ab fhéidir. Nuair a d'amharc mé ar an léarscáil dar liom gur bheag an fairsingeach a bhí in Éirinn uilig, gur bheag an méid talaimh nach raibh claí air agus súil shantach a choimhéad. Dá mbíodh oileán mara féin le fáil ag fear i saorchonradh !

Rinne mé dearmad de Chill Mhantáin i dtrí nó ceathair de laethe. Má bhain mé tairbhe ar bith as ba é an tuigse a fuair mé go raibh an tír cúng gortach. Smaoinigh mé fuagra mar seo a chur ar na páipéir:

Fear dheich mblian fichead, líon lán folláin. Níos mó léinn aige ná dochtúirí an léinn. Níl aon rud faoin spéir nach dtig leis a dhéanamh ar dhóigh dó féin, agus fiche rud ar dhóigh níos fearr ná an dóigh ar gnách a dhéanamh.

Ach ní luaithe a bhí sé scríofa agam ná dúirt mé: " Ní thabharfadh aon duine ar an domhan chláir freagra air sin."

Níl ceannach ar bith ar a leithéid sin de dhuine. Caithfidh mé a bheith ar an neamhacra. Bhí an méid sin tuigthe agam. Ní raibh mé indíolta. Ní dhíoltar ach sclábhaithe. Chaithfinn mo ghreim féin a chur agus a bhaint.

Ach ní raibh talamh ar bith agam. Ní raibh airgead ar bith agam le siopa a chur suas. D'fhéadfainn toiseacht a chruinniú pingneach ar an tsráid, ach bhí mé ag meas go raibh an fómhar ró-ghann. D'fhéadfainn toiseacht a chreachadh ar na bóithre mar rinne Réamann Ó hAnluain sna seanlaethe breátha. Shiúil mé thart an chathair ag breathnú gach áit a raibh airgead. Ní raibh mé i bhfad gur thuig mé go raibh am a dhíth le gadaíocht mhór ar bith a dhéanamh, go mb'fhéidir go mbeinn sé mhí ag breathnú agus ag feitheamh sula bhfaighinn an fhaill. Choimhéid mé daoine ansin. Ach an chuid a ba saibhre acu bhí carranna acu, agus dá bhfaighinn duine ar bith chomh scaite agus go bhféadfainn a sparán a bhaint de ba dóiche gur duine é a bheadh chomh bocht liom féin.

Smaoinigh mé ar pholaitíocht ansin. Ní raibh toil do pholaitíocht riamh agam, ar an ábhar nach dtiocfadh liom a chur in iúl dom féin go raibh meas ar bith ar dhaoine agam. Ach dúirt mé liom féin gur mhaith an rud a bheith i mo cheann smaicht ar Éirinn. Dá bhfaighinn an fad sin chrochfainn cuid mhór daoine agus chuirfinn cuid mhór fá dhaoirse. Nó dar liom go bhfuil sin tabhaithe ag cuid mhór daoine. Agus thig liom aithne idir an dubh agus an bán go fíormhaith. Bhí mé ag brath an t-am sin smachtcheannas Gaelach a chur ar Éirinn agus fear seisrí nó fear lódaíochta nó daor de chinéal éigin a dhéanamh de gach duine nach raibh Gaeilge aige. Choinnigh mé dhó nó trí 'chruinnitheacha, go dearfa. Ach nuair a fuair mé amach go gcaithfinn féin an obair uilig a dhéanamh chuir mé ar gcúl é go dtí na blianta atá le theacht.

Fá dheireadh bhí mo chuid airgid ag éirí chomh gann agus gur chuir mé fuagra ar na páipéir go dteagascóinn Gaeilge. Ba rud teagasc Gaeilge a raibh drochmheas riamh agam air. Ní thuigfidh duine a tógadh le Béarla mé. Ach dá mbíodh an Béarla go maith aige, agus aige lena theagasc do dhaoine a raibh fíor-dhroch-Bhéarla acu, thuigfeadh sé mé. Dar liom riamh go raibh cloigne ar lucht foghlaim Gaeilge cosúil leis na lámha a bhíos ar oibríonna, anchuma orthu le cranraí agus le masla. Ach, arsa mise liom féin, tá aireas agam go dtiocfaidh daoine aisteacha a fhoghlaim uaimse.

Ní raibh aireas agam riamh nach raibh an ceart agam. Ní tháinig chugam ach triúr nó cheathrar, ach bhí duine amháin acu a mb'fhiú dom aithne a fháil air. Ba sin Tomás Ó Ciaragáin. Ní raibh sé ach ocht mbliana déag d'aois ach bhí seancheann air den aois sin. Ina dhiaidh sin bhí iomlán na crógachta agus na clisteachta ann a bhíos i ngasúraí fána aois. B'fhusa Gaeilge a theagasc do Thomás ná do dhuine ar bith eile acu, ach nuair a tháinig sé dhó nó trí 'chuarta chugam stad mé a theagasc Gaeilge ar chor ar bith dó. Bhí barraíocht eile ar ár n-intinn araon. Bhí muid araon ag breathnú an tsaoil go bhfeicimis cá háit a raibh poll air. Bhí mise ní ba sine, ar ndóigh, agus bhí a fhios agam go gcaithfinn poll a bhriseadh ar an tsaol, ach bhí dóchas na hóige ag Tomás agus b'fhusa leis poill a fheiceáil ná mise. Agus b'fhéidir go raibh poill ar an tsaol dáiríre a ba léir dó agus nár léir domsa.

Bhí sé maith ag gadaíocht. San am i láthair bíonn a lán glas-stócach a tógadh go maith ag gadaíocht. Ba é an ola ar chroí Thomáis a bheith ag caint ar an dóigh le briseadh isteach i dtithe. Bhí sé socair againn teach áirithe ar an taobh ó dheas den chathair a bhriseadh, nuair a smaoinigh mise ar chleas eile.

Bhí mé maith riamh ag léamh nádúir daoine. Thig liom an aghaidh agus an cholainn agus lorg na láimhe a léamh go maith. Ní feasach dom cár fhoghlaim mé é. Smaoinigh mé go ndéanfainn airgead air. D'inis mé do Thomás sin.

"Dhéanfá, cinnte," ar seisean. "Ba cheart duit fuagra a chur isteach: 'Seosamh Mac Grianna, ag inse fortún ar scilling an ceann——' "

"Go socair anois," arsa mise. "Nach síleann tú go mb'fhearr fear as an Domhan Thoir?"

" B'fhearr," ar seisean.

" Agus," arsa mise, "caithfidh clú a bheith air ar fud an domhain mhóir. Fan anois go bhfeice tú."

" Is mairg gan faill agam," ar seisean, " ach caithfidh mé a dhul chun an bhaile."

" Maith go leor," arsa mise, " tífidh tú amárach é."

Scríobh mé an fuagra an oíche sin. Seo mar rinne mé é—tá cóip de ar an tábla ag mo thaobh i láthair an bhomaite:

STARTLING!!!

ELI BEN ALIM

says your future can be foretold, and that of your lover, your child, and your friend in trouble.

ELI BEN ALIM, Arab prophet, knows the future as the skilled pilot knows the hidden rocks and the safe anchorages. He has travelled the five continents, has predicted for GENERAL WILLIAMSON, U.S.A., and for M. HENRI BEAUVAIS, famous French actor, the MAHATMA GANDHI, and the ex-King of Bulgaria.

Send ELI BEN ALIM a frank account of your problems. Give sex, date of birth. Enclose P.O. value 1s. 2d., or stamps.

Address ....

" An bhfuil a leithéid de dhaoine ann ?" arsa Tomás liom nuair a thaispeáin mé dó é.

" Sin ceist a bhfuil fairsingeach inti ! " arsa mise. " Duine doicheallach nach gcreidfeadh go bhfuil Gandhi ar an tsaol, agus an rí a chaill Bulgaria. I dtaca leis an bheirt eile ní chuala mise aon iomrá riamh orthu, ach chomh dóiche le rud eile go bhfuil a leithéidí ann. I dtaca le hEli Ben Alim é féin, nach bhfeiceann tu os coinne do dhá shúl é ?"

" Scoith fuagra é," ar seisean. " Tá a fhios agamsa fear a dhéanfas clóscríobh air."

Chuir mé an fuagra ar pháipéar áirithe. Má tá duine ar bith dícheallach go leor leis na seanpháipéir a chuartú gheobhaidh sé é. Agus na rudaí a hinsíodh dom i rith an tséasúir sin níor hinsíodh d'aon fhear eile iad; ní chuala an sagart i mbosca an éistigh féin a leithéid de scéalta. Mná, mná, mná, agus a oiread fear agus chuirfeadh iontas ort. Creidim riamh ó shin má thig leat amadán a dhéanamh díot féin go mbeidh caidreamh an domhain mhóir agat. Fuair mé a oiread litreach agus nach raibh Tomás ábalta an obair chléirigh a dhéanamh dom. Bhí sé deacair go leor a bheith ag iarraidh léamh ar lorg na láimhe agus ar an eolas a bhí sna litreacha. Ba sin an dóigh a bhí agam le aithne a fháil ar an duine a scríobh an litir. Is iomaí uair a scríobh mé síos a leithéid seo: "Tá gruaig dhubh ort, tá scothairde ionat, agus téid tú amach ar an bhróig chlí agus isteach ar an bhróig dheis." Nuair a bhíodh aithne ar an duine agam nínn tuar dó. Ba bhreá an umhlóid ag an intinn é, agus tá mé cinnte dá mbínn fada go leor ina cheann go n-éireoinn i mo thairngire éifeachtach. Ach fuair mé barraíocht litreach. Agus ansin ní raibh de dhóigh air ach freagra amháin a dhéanamh amach agus a chur chuig achan duine. Sin mar atá bunús chuid oibre an domhain déanta san am i láthair: nuair a chastar a oiread daoine i dtrugalacha leat agus nach bhfuil faill agat aithne a fháil orthu, aon bhail amháin a thabhairt uilig orthu. Ach file mise agus ní chreidim i dtruailliú oibre. Ní raibh a fhios agam ach a oiread cén uair a thiocfadh cailín spiontach éigin ar cuairt chugam agus tífeadh sí mé gan éide nó craiceann fáidh a tháinig ó thíortha loma an ghainimh orm.

D'imigh Eli Ben Alim as Éirinn an geimhreadh sin.

D'imigh, agus bhí mise ar an tráigh fhoilimh ina dhiaidh. Ní raibh mórán airgid i dteagasc Gaeilge. Ach is beag an méid a choinníos duine beo, agus bíonn duine beo dáiríre nuair a bhíos sé beo ar an bheagán. Bhí mé ar chustaiméir chomh maith agus bhí ag na hIodálaigh an geimhreadh sin. Dream iad a bhfuil anam iontu, mar Iodálaigh. Nínn corrthamall comhrá le fear an tsiopa agus bhínn an chuid eile den am ag breathnú na ndaoine a bhí amach agus isteach.

Creidim go bhfuil a lán daoine nach raibh istigh i gceann de na siopaí seo riamh, cé go raibh daoine a raibh gléas cothrom beatha orthu liomsa isteach iontu go minic. Ach is iad na bochta is mó a ní iad a fhreastal. Tá na siopaí seo uilig cosúil e chéile. Bíonn adhmad donn ar na ballaí, agus leathbhallaí adhmaid ag déanamh bocsaí den tseomra, agus tábla i ngach bocsa agus suíocháin. Bíonn boladh éisc agus prátaí ar fud an tseomra agus lorg galach ar na fuinneoga. Níl áilleacht ar bith fá na siopaí seo ach is fiú amharc ar na daoine a bhíos amach agus isteach. Tá dhá chineál ann, na daoine a bheir an béile chun an bhaile leo agus an chuid a itheas sa tsiopa é. Téid an chéad chuid go dtí an bord agus cuireann fear an tsiopa ladar prátaí agus ladar éisc ar páipéar dóibh agus craitheann sé dusta salainn agus deor fhínéagair air. Téid siad amach agus an cuachán te tais bealaithe sin leo. Tá cuid mhór de bhochta Bhaile Átha Cliath nach mbíonn de shuipéar acu ach sin, agus chonaic mé scaiftí acu i lár an lae ag déanamh a ndinnéara air. Suíonn an chuid eile sna suíocháin. Téid sé cruaidh go leor ar cheathrar áit a fháil ag tábla. Bíonn a nglúine buailte ar a chéile agus ní bhíonn ann ach go mbíonn áit ag a gcuid plátaí ar an tábla. Téid bocsa an tsalainn agus buidéal an fhínéagair ó dhuine go duine agus ó thábla go tábla. Bíonn páistí bratógacha ocracha ina seasamh fán doras ag feitheamh ar chonamar fuílligh ar bith dá mbeidh fágtha.

Chonaic mé a lán den tsaol a bhíos ag bochta Bhaile Átha Cliath an bhliain sin. Bhí mé dhá uair i dtithe síbín, agus is leo a thig a dhá luach a bhaint amach ar bhuidéal leanna. An uair dheireanach a bhí mé istigh bhí mé i seomra a raibh cúigear nó sheisear ar a laghad ina gcónaí ann. Bhí bean agus beirt pháistí ina gcodladh i leaba i gcoirnéal an tí, agus bhí bean mheánaosta istigh, b'fhéidir máthair na mná eile, agus tháinig fear óg isteach a raibh cuma air gurbh é céile na mná óige é. Chuaigh mise dh'éileamh fá luach na biotáilte an oíche sin, agus sula raibh sí ólta agam bhí beirt fhear i ndoras an tí mar bheadh siad ag brath mo choinneáil istigh. Ach shiúil mé amach go dána, agus an iarraidh bheag a thug siad mo cheapadh níor chuir sí moill ar bith orm; bhí eagla orthu go mbeinn ró-láidir acu.

Níor casadh a oiread daoine riamh orm a d'iarr pingneacha orm agus a casadh an bhliain sin orm. Ba bheag nár chuir siad in iúl dom gur mé Haroun Al Raschid ag déanamh déirce ar a dhaoine. Casadh na bacaigh uilig orm: mairnéalach na coise maide, agus an fear a bhíos ag gabháil cheoil agus a bhearád lena leiceann, agus fear fada féasógach na fideoige, agus an fear a bhíos ag tafann mar bheadh madra ann (slán gach samhail). An fear mín modhúil a bhíos ag díol na mbarriallach ag doras na dtithe biotáilte, agus an fear beag dall a bhíos ar maidin i Sráid Dhónaill Uí Chonaill agus tráthnóna amuigh i nDún Laoire.

Ní raibh fear ar bith de na bacaigh a ba mhó ar chuir mé suim ann ná seanfhidiléir dubh féasógach a raibh súil dhubh dhomhain agus dreach duairc págánta air, a bhíodh ar an bhealach a shiúlainn achan mhaidin. Bhí a oiread cótaí móra air agus chumhdódh Coláiste na Tríonóide agus bhí dathanna iontu leis an aimsir a bhí mar na dathanna a bhíos i mala cnoic sa gheimhreadh. Bhíodh sé ina sheasamh faoi shíon agus shiorradh agus ní shamhlófá go raibh siad ag goilleadh air. Nuair a chonaic mé uair nó dhó é chuaigh mé anonn a fhad leis agus chuir mé pingin ina sheanbhearád, agus chuir mé ceist air sa chanúint a bhí ag dul an uair sin:

" An duine saolta nó deamhan tú ? An ndeargfadh arm ort nó an maothfadh brón tú ? An tú Bodach an Chóta Lachtna nó Ceithearnach Caolriabhach Uí Dhónaill a phill agus a fuair an fhéile ar shiúl ? Nó an tú fear gan aithne mar chasfaí maidin driúchta ar an Fhéinn, nó fear a d'imigh idir cleith agus ursa de bhunadh Argain Mhic Ancair na Long ?"

Níor thuig sé mé. Creidim nach raibh a fhios aige. Agus mise a raibh barúil agam, nach beag nár thuill mé an t-achasán a thug Colm Cille don té a chuirfeadh ceist fá ghnoithe a raibh eolas aige féin air !

Fuair mé eolas úr ar bhia an bhliain sin. Fuair mé amach go

bhfaighinn a oiread aráin agus bláiche ar thrí pingne agus dhéanfadh tráth bídh. Fuair mé eolas ar thithe bídh na n-oibrithe, an áit a dtiocfadh liom arán agus muiceoil agus tae a fháil ar ocht nó naoi 'phingneacha. Bhí dream salach graifleach amach agus isteach sna tithe seo, ach aon duine dá n-abair go bhfuil na bochta gan mhúineadh níl aithne ar bith aige orthu. Níl siad ainbhiosach ach a oiread. Chuala mise ag díospóireacht go minic iad agus chuir sé iontas orm fir a raibh a oiread tuigse acu a bheith fá dhaoirse ar chor ar bith. Bhí gnás agam a gcur a dhiospóireacht agus corrfhocal a rá lena gcoinneáil ar obair.

"Níl ach fíorbheagán den tsaol a ní obair ar bith," arsa fear acu lá amháin. "B'fhéidir duine as an deichniúr, agus tá an naonúr eile beo ar an duine sin."

"Bheir sin i mo cheann," arsa mise, "uair amháin a chaill mé mo hata in oifig agus b'éigean suas le fiche ainm a scríobh sula bhfuair mé arís é. Dá bhfágainn mo bhríste i mo dhiaidh ní bheadh a oiread páipéir i mBaile Átha Cliath agus d'fhuasclódh é."

"Díobháil eolais agus tuigse atá ar na daoine a bhfuil lámh an uachtair acu," ar seisean.

"Tá sé níos measa ná sin," arsa mise. "Tá i bhfad barraíocht tuigse acu den chineál atá acu."

Is mairg nach bhfuil faill nó fairsingeach agam le gach a gcuala mé fá na tithe seo a scríobh; nó fá na comhráite a bhí agam ar na céanna le fir a shiúil an domhan; nó na hais-fhreagraí a thug mé ar ghardaí agus an díomúineadh a thug mé do lucht siopaí; agus na fiche dóigh eile ar chruthaigh mé gaol agus dáimh an chine dhaonna.

Chuir díobháil an tobaca fiche uair go cruaidh orm. Bhí mé chomh dona uair nó dhó agus go ndeachaigh mé amach ar bhóithre a bhí ag dul as an chathair chun na tíre a chuartú buna toitín. Bíonn siúl mór daoine ar chuid de na bealaí seo agus lá tirim chruinneofá lán bascaeide de bhuna toitín ar cheann acu. Is cuimhin liom lá amháin a shiúil mé an dá mhíle dhéag ó Bhaile Átha Cliath go Brí Chualann agus líon mé a raibh de phócaí ar mo chorp. Is iomaí sórt rása ann, ach dar liom gur seo rása nach ndeachaigh fir i gcoimhlint ann go fóill.

Nuair a bhí an sneachta mór ann san earrach, i 1933, bhí mé amuigh ag rang Gaeilge agus bhí mo bhróga chomh holc agus go mb'éigean dom a mbaint díom agus a dhul costarnocht nuair a tháinig mé chun an bhaile.

Tháinig bean chugam an bhliain sin ag iarraidh múinteora dá clann. Thit a fear Seachtain na Cásca, 1916, agus fuair sí pinsean, agus an méid seo ar son oideachas na clainne. Rinne mé margadh léi agus tharla rud iontach dá thairbhe.

Bhí mé ag teagasc beirt ghasúr, fear acu ceithre bliana déag agus an fear eile dhá bhliain déag. Ba ghnách le leath-chailín shé mblian déag a theacht isteach fosta go minic go dtugainn cuidiú di. Ba ghnách linn suí i seomra cúil, i seomra dheileoir a raibh cathaoireacha scáinte ann agus dreach fuar air. Bhí tine bheag ghortach ghuail ann an chéad lá a chuaigh mé isteach, agus tine páipéar an dara lá, agus drithleog ní fhaca mé uaidh sin suas.

Bhí an fear ab óige de na gasúraí cosúil le gasúr cothrom ar bith; bhí sé dúthrachtach go leor, agus gan é maol nó líofa. Chuirfeá sonrú san fhear a ba sine. Bhí sé gruama, achrannach, agus ní raibh teagasc le déanamh air mura dtugthá a dhóigh féin dó. Ba deacair a rá cé acu ábhar ciafairt nó coileán fir a bhí ann.

Nuair a bhí mé seachtain ag teagasc tháinig bean an tí isteach chugam agus cuma chloíte uirthi. Dúirt sí liom nach dtáinig an t-airgead go fóill, go raibh Státseirbhísigh fadálach, agus gur mhaith léi dá bhfanainn seachtain eile le mo phá.

Thug mé cairde seachtaine di.

An tseachtain ina dhiaidh sin bhí an scéal céanna aici.

" Nuair a théid Liam (ba seo an mac a ba sine aici) suas," ar sise, " cuireann siad ceisteanna beaga fabhtacha air agus baineann siad a mhíthapa as. Tí Dia sin, agus é ina dhíll-eachta."

" B'fhéidir go bhfeiceann Sé Liam," arsa mise, " ach ní

léir dó na Státseirbhísigh. Tá siad ró-bheag."

Thug mé cairde seachtaine eile di. Tháinig an t-airgead fá dheireadh. An lá a d'íoc sí mé bhí sí ní ba chaintí ná ba ghnách. Thoisigh sí a chur ceisteanna fá na páistí agus dúirt sí liom gur chóir dom litir a scríobh ag inse goidé mar bhí siad ag déanamh gnoithe. Scríobh mé féin an litir agus mhol mé iad ar son a gcuid buanna agus níor labhair mé ar a gcuid lochtanna.

" Beidh seo úsáideach agam fá choinne an tsagairt," ar sise. "Coinníonn sé súil ghéar orthu. An bhfuil a fhios agat goidé a rinne siad anuraidh ansin ? Bhí siad ar scoil agam, agus ghoid siad leabhair agus d'ith siad a luach i dteach itheacháin agus cheannaigh siad greamanna milse air. Fuarthas amach orthu é agus bhí uachtarán na coláiste ag brath iad a chur i dteach feabhais. Ach ligeadh liom iad ar chuntar iad béasa maithe a choinneáil. Tá mé faoi imní ó shin, gan a fhios goidé a dhéanfadh siad a chuirfeadh in áit a gcartaithe iad. Shílfeá go raibh an choir a bhí millteanach déanta acu, leis an dóigh a bhfuiltear anuas orthu."

Dar liom féin, tí Dia sin. Fuair siad amach ró-luath gur ar ghadaíocht atá an saol beo, agus tá an saol ag brath cúiteamh a bhaint astu. An té a deir go bhfuil a oiread ionracais ar an tsaol agus gur chóir páistí a chur faoi chrann smola as rud beag den tsórt sin deir sé an bhréag, dá mbíodh sé an dá ua le Naomh Peadar. Na páistí bochta, níor éirigh leo an ghadaíocht a dhéanamh maith go leor. Is mairg don té a bhuaileas gan loit a dhéanamh.

Bhí mé ní ba láí leo ina dhiaidh sin, agus dá olcas a gcuid oibre níor lig mé di fearg a chur orm. Níor lú orm an diabhal riamh ar scor ar bith ná páistí a bhí maith ag obair scoile. Ní bhíonn ina mbunús ach fágálaigh.

Bhíodh bean an tí ina luí go minic. Bhí giorra anála uirthi, agus bhíodh sí go minic sa dóigh ar mhór an breithiúnas aithrí bheith ag caint léi. Lá amháin, i ndiaidh mé a dhul isteach ar maidin, tháinig an leathchailín chugam agus d'iarr sí iasacht scillinge orm. Dúirt sí ar dhóigh na bpáistí é:

" D'iarr mo mháthair scilling."

" Cá bhfuil do mháthair ?" arsa mise.

" Tá sí ina luí," ar sise. " D'iarr sí iasacht scillinge go ceann seachtaine le tabhairt do fhear an aráin."

Bhí mo lámh i mo phóca agamsa. Ní raibh agam ach an aon scilling agus trí pingne rua. Bhí mé ag méaradrú orthu agus achrann an tsaoil mhóir ina rith tríd mo cheann. Ba ghnách liom mo dhinnéar a fháil amuigh agus dá dtugainn uaim an scilling ní bheadh aon dinnéar an lá sin agam, agus ní raibh mé ag dúil le aon cheann an lá arna mhárach. Ach dá gcoinnínn í b'fhéidir go mbeadh ocras ar na páistí. An raibh ciall ar bith leis an rud a dtugann siad gaol air ? Ar chóir dom a bheith cadránta leis na daoine cionn is iad a bheith fuar coimhthíoch agam ? Nárbh í nádúir an Éireannaigh a bheith dlisteanach dá chúige féin, dá chontae féin, dá chreideamh féin ? Agus ina dhiaidh sin nár den teaghlach amháin an cine daonna uilig ? Dá bhfeicinn fear a bháthadh an mbeinn ag fanacht go n-aithnínn é ? Bhí an lámh ag teacht amach agus an scilling léi an t-am seo.

Bheinn gan dinnéar. Ar mhór an phian an t-ocras ? Nár bheag an lorg a d'fhágfadh sé ar pháistí a dhéanfadh dearmad de an dá luas agus gheobhadh siad an dara greim ? Nár mheasa ocras an duine a tháinig in aois agus a chuir dúil in éifeacht an tsaoil, an rí gan a choróin nó an bard gan a cheol ? Nárbh amaideach an rud dom a bheith ag déanamh trua de na páistí seo cionn is gur thit a n-athair i 1916 ? Goidé an tairbhe domsa Seachtain na Cásca ? Ní raibh mé ach i mo ghasúr san am, agus bíthear ag cur ceiste ar achan duine san am i láthair cá raibh sé an bhliain sin. Nach rabhthas ag inse go dtáinig coileán leoin go Baile Átha Cliath an bhliain roimhe sin agus gur cuireadh chun an bhaile é ? Chuir siad isteach i gcuideachta Bhaloir thall sa choirnéal é. Níor chuir Balor fáilte ar bith roimhe ach gnúsachtach fhiata dhoicheallach a dhéanamh. Chuaigh an coileán anonn go soineanta a ghiollamas leis, ach thug sé spor dá chrúb dó a chuir trasna an urláir é. " Cá raibh tusa i 1916 ?" ar seisean. Cé gur dhúchas Gallta a bhí sa tseanleon seo agus ina chuid comharsanach bhí siad a fhad sa tír agus gur éirigh siad *ipsis Hibernis Hiberniores.* Nár dheacair aithne idir an Gael agus an Gall i láthair na huaire ?

An raibh an teaghlach seo in anás chomh mór agus a bhí siad a chur in iúl ? Nach raibh mílte i mBaile Átha Cliath a ba mhó a bhí in ampla ná iad ? Ar iarr siad scilling ar fhiche duine eile ? Cibé chonaic daoine eile ní thug siad scilling ná scilling dóibh, agus dhéanfadh siad gáire magaidh fúmsa dá gcluineadh siad go raibh mé sóntach leo. Chonaic mé súile urchóideacha magúla ag amharc orm. Nach raibh mé ag obair saor go leor dóibh ? Nach raibh sé de bhua ar an té a bhí fial go n-iarrfaí deireadh air ? Deirtear go dtig amanna ar dhaoine a dtéid siad tríd a saol ó thús go deireadh i bhfaiteadh na súl. Níorbh éagosúil a tharla domsa. Shiúil tonna m'aigne ar an dóigh seo gur bhuail an ceann deireanach an tráigh.

" Níl briseadh ar bith agam," arsa mise.

Bhí mé de mo chuimilt féin ag dul chun an bhaile dom as a bheith chomh daingean diongbháilte agus a bhí mé. Nuair a chuaigh mé isteach ar an doras goidé a bhí romham ach litir agus seic inti.

Fuair an bhaintreach bás an oíche sin. Nuair a chuaigh mise chun an tí an lá arna mhárach bhí siad ag déanamh réidh lena faire agus ní raibh iomrá ar bith ar theagasc.

D'ól mise an seic sin. Ní ólfadh ach go bé gur casadh seanphótaire orm a thugadh isteach i gcónaí mé. Ní raibh sé ró-dhoiligh mo bhroslú ar scor ar bith. Chuaigh muid isteach i dteach cúil nach raibh coimhéad cruaidh air. Nuair a bhí sé a deich a chlog bhí muid seachtar ann a lig na doirse a dhrod agus chuaigh muid suas an staighre. Nuair a bhí sé an dó dhéag bhí muid ag iarraidh ceoil agus bhí fear an tí ag cur tús ar an ghreann leis an Draighneán Donn. Nuair a bhí sé a dó bhí mise ag rá an Bhuinneáin Bhuí agus ceo idir mé féin agus tábla a raibh cumhdach glas air.

Ar maidin an lá arna mhárach bhí mo cheann tinn. Thug bean an lóistín isteach arán bán agus im bréan agus ubh a bhí trí ráithe d'aois agus muiceoil a bhí mar bheadh giota de sheanbhróg, agus ba bheag an uchtach a bhí agam iad a ionsaí. Ní raibh i mo phóca ach an aon scilling, agus an mhaidin fliuch.

Nuair a bhí mé ag suí isteach a thabhairt aghaidh ar mo námhaid buaileadh ag an doras. D'éirigh mé agus d'oscail mé é. Bhí fear ina sheasamh ansin agus a oiread bratóg agus scifleog air agus go sílfeá go rabhthas á tharraingt tríd dhraighean le seachtain.

" A gheall ar Dhia, a dhuine uasail," ar seisean, " agus an dtabharfá dhá phingin dom a chuideodh liom greim bricfeasta a fháil?"

Thug mé an scilling dheireanach dó, agus thug mé m'aghaidh ar an im lofa agus ar an tseanleathar agus thug siad mo sháith dom.

4

Mo dhearmad! An geimhreadh a bhí mé sa lóistín sin bhuail mé suas le lucht Comharsheilbhe, nó Cumannachta, mar deir lucht na droch-Ghaeilge. Níorbh fhiú liom trácht air sin ach go bé go bhfuair mé aithne ar fhear aisteach dá thairbhe. Chuaigh mé oíche amháin chuig cruinniú dá gcuid. Bhí léacht acu ar chuid bochta na mbailteach mór. Dúradh na rudaí a raibh mé ag dúil leo: go raibh an t-oibrí san am i láthair mar bhí an daor sa tseansaol; go raibh an t-airgead agus an t-oideachas ag dream beag amháin daoine; gur chóir an mhaoin a roinnt sa dóigh a mbeadh gléas beo ag achan duine; go raibh an ceart céanna ag gach fear, agus dá réir sin. Bhí culaith de fhocla móra scáfara ar na barúlacha beaga seo a bhí ag achan duine nuair a bhí sé ag toiseacht a chruinniú tuigse. D'éirigh mise agus dúirt mé go bhfuair mé a bheagán nó a mhórán eolais ar bhoichtineacht agus ar bhochta Bhaile Átha Cliath le tamall agus nach raibh mé ag meas go raibh an ceart ag na cainteoirí seo ar chor ar bith.

" Sa chéad chás de," arsa mise, " ba phríosúnaigh cogaidh, nó daoine a rinne coir éigin in aghaidh an dlí, a bhí sna daoirsigh fada ó shin. B'fhéidir gur mhó an trócaire a fuair siad ná dá gcuirfí i bpríosún fhuar chreagach liath iad mar níthear lena leithéidí inniu. Ach ní hionann iad agus na hoibrithe. Ba de thaisme a tharla ina ndaoir iad. Ach de réir dhlí na héagóra atá oibrithe againn san am i láthair. Duine ar bith a bhí ró-bhréagach nó ró-bhithiúnta nó ró-lag ar dhóigh ar bith le fanacht ina oibrí d'fhág sé na hoibrithe agus bhí sé beo orthu mar bhíos an mhíol chartáin beo ar an chaora. Ach ní fhanfainn ina mhuinín sin. Déarfainn go bhfuil leath na n-oibrithe féin beo ar an leath eile. Déarfainn go bhfuil an cine daonna roinnte ina dhá chuid—an chuid a shaothraíos saibhreas nó a dhéanfadh dá bhfaigheadh siad an fhaill, bíodh an saibreas sin saolta nó spioradáilte, agus an chuid a bhíos beo ar shaothrú daoine eile. Tá an chuid dheireanach ag éirí níos fairsinge achan chéad bliain dá bhfuil ag teacht. Is dóigh liom gurb é an fáth atá leis sin go bhfuil meath ag teacht ar lucht an tsaothraithe, nach bhfuil a oiread acu ann, agus nach bhfuil siad chomh héifeachtach de réir duine is duine agus a bhí siad sa Mheánaois nó na haoiseanna roimhe sin. Na dealbha agus na pictiúirí agus na scéalta agus na dánta agus na huirlisí agus na hinnill a rinne siad, fuair na fágálaigh, na míola, na creabhair, greim orthu agus chuir siad in iúl gur leo féin iad. Nuair a théid an chúis go cnámh na huillinne ní le duine ar bith dada ach a chuid oibre féin. Is é an locht atá ar an tsaol anois go síltear go dtig le duine seilbh a bheith aige ar rud nach ndearn sé féin. Agus i ndiaidh é seilbh a fháil air go gcaithfidh sé scaradh leis, go gcaithfidh sé malairt a dhéanamh. Tá sé creidte ag an tsaol má rinne tú malairt bhuntáisteach go bhfuil ceart agat ar thuilleadh éadaigh agus itheacháin agus ólacháin agus urraime agus réime. Ach níl malairt fhabhtach ag cur le nádúir; dá mbíodh malairt fhabhtach i measc na réalt phléascfadh an saol, nó dhófaí é, nó bheadh deireadh uafásach éigin air.

"Ar an ábhar sin is dual don chine dhaonna meath mura n-athraí muid béasa. Ach níl ach díth céille a rá gur cóir an mhaoin a roinnt cothrom. Caithfear an tseilbh a scrios. Sin an rud a bhfuil eagla oraibh uilig roimhe. Níl ionaibh féin ach míola nach bhfuil sásta leis an méid innilte atá agaibh. Dá mbíodh sibh dáiríre ní abródh sibh go raibh saibhreas agus eolas ag lucht siopaí. Tá iasacht saibhris acu agus eolas bréige. An té a bhfuil eolas dáiríre aige ní bhíonn sé ag santú chuid duine ar bith.

"Tá cuid mhór daoine ar an tsaol ag iarraidh oibre san am i láthair. Ach ní le hobair is mó atá feidhm ar chor ar bith ach le falsacht, nó an rud a dtugann dobhráin falsacht air. Tá dhá dtrian obair an tsaoil ag dul amú. Is fíorbheag riachtanas an duine uilig. Ach is mór an méid a d'fhéadfadh sé a dhéanamh ar son na hintleachta agus an anama. Agus sin an chuid a bhfuil an troid uilig fá dtaobh de, sin an chuid atá achan duine a scrios ar an duine eile.

" An síleann sibh go bhfuil sé deacair prátaí agus plúr a choinneáil leis an chine dhaonna ? Dá mbíodh, bheadh intinn daoine ní ba mhinice ar phrátaí agus ar phlúr. Ach ní hamhlaidh. Dódh an cailín úd sa Fhrainc a dúirt go dtáinig teachtairí ó neamh chuici, agus cuireadh Galileo i bpríosún as a rá go raibh an domhan ag siúl thart ar an ghréin.

" Agus ní sin amaidí den chaint a deir go bhfuil an ceart céanna ag achan duine, go bhfuil achan duine cothrom. Go dearfa, títhear domsa go bhfuil tuairim ar 49 as an chéad a bhfuil tuigse agus eagra chinn acu, agus 51 nach bhfuil. Tá an leath is mó den chine dhaonna níos ísle agus níos fágtha ná ba chóir do dhuine shaolta a bheith. Duine ar bith a shamhlaíos gur ionann buntáiste na malairte agus saibhreas tá sé níos ísle ná an bhrúid, nó tá ciall brúide ag an bhrúid, a fuair sí ó nádúir.

" Ná síleadh aon duine agaibh," arsa mise, " go gcuirfidh sibh in iúl domsa gur ar lucht siopaí atá an locht an saol a bheith mar tá. Ar nádúir dhaonna atá an locht, agus go leigheasa muid ár nádúir níl gar duinn a bheith ag caint nó ag comhrac."

Níor mhol aon duine mé agus níor cháin aon duine mé. Chuaigh mé ró-ghéar ar an fhírinne. Ní dhearn siad ach a gceann a chromadh agus aoibh fhaiteach a chur orthu mar chuirfeadh siad dá bhfeiceadh siad duine ag déanamh amadáin de féin. Fuarthas meas amadáin orm dhó nó trí 'chuarta i mo shaol agus mé ag caint chomh céillí agus bhí mé riamh. Sin an moladh is mó a thig a thabhairt do intleacht duine, a shílstean gur amadán é nuair is troime a chiall.

Chuaigh mé chun an bhaile, agus bhí mé i mo shuí ag caitheamh toite i ndiaidh mo bhricfeasta an lá arna mhárach nuair a tháinig bean an tí isteach agus dúirt sí liom go raibh fear ag cur mo thuairisce ag an doras agus gurbh é an fear é ab iontaí a chonaic sí riamh.

Nuair a chonaic mé é dar liom nach ndearn sí áibhéil ar bith. Ní raibh sé mór, ach ina dhiaidh sin bhí a chuid éadaigh ró-bheag aige. Cé nach raibh sé stróctha, bhí sé as stá ar fad agus é ciar ar dhath na luchóige. Bhí a cholainn lom, agus dar leat nach raibh lúth ar bith ina bhallaibh. Bhí aghaidh dhuairc dhorcha air, agus dar leat go raibh sí chomh lom le aghaidh fir nár ith aon ghreim le mí. Bhí sé cosúil le fear a coinníodh blianta istigh ar lafta thirim go dtí gur shearg sé.

" An tusa Mac Grianna ?" ar seisean.

" Is mé," arsa mise.

" Diarmaid Ó Loingsigh is ainm domsa," ar seisean. " Chuala mé tú ag caint ag cruinniú na gcomharsheilbheoirí aréir. Níor dhúirt aon duine ansin aon fhocal a raibh tairbhe ann ach tú."

Thost sé ansin agus shín sé litir dom.

D'amharc mé go hiontach air. Shíl mé cinnte go dtáinig sé ón Rúis chugam agus go raibh an litir ag tabhairt ordaithe dom a dhul i gceannas an taobh thiar den Eoraip. Leis an fhírinne a dhéanamh tháinig cineál de chrith ar mo chroí. D'amharc mé athuair air agus níor labhair sé.

" Isteach leat bomaite," arsa mise, agus d'fhoscail mé an litir.

Bhí lorg na láimhe éagoitianta. Bhí sé mór, soiléir, agus é cosúil le scríobh a dhéanfadh duine a mbeadh lámh tachráin air agus ceann seanduine. Nuair a dhearc mé ar an litir chonaic mé nach ordú ná faisnéis a bhí inti ach barúlacha domhaine dothuigthe ar an tsaol.

" Níl i ndea-bhéasa agus i gcaint chráifeach daoine ach cur i gcéill," an tús a bhí uirthi. " Nuair a shíleas duine go bhfuil sé féin maith, is é rud a bhíos sé dall ar a chuid lochtanna. Ní thig le duine a bheith maith gan a bheith ag síorfhaire agus ag troscadh—ag troscadh ar gach cineál pléisiúir. Sílidh fear má tá sé saibhir nach bhfuil feidhm le troscadh. Sílidh fear pósta go bhfuil sé saor ó dhrúis. Téid tíortha i gcogadh le chéile nuair a théid a gcuid pléisiúir in an-lucht, ⁊rl."

" Tú féin a scríobh seo ?" arsa mise, ag tógáil mo shúile ón litir.

" Is mé," ar seisean.

" Tá a lán de mhachnamh dhomhain inti," arsa mise. " Ach cogar mé seo, goidé do bharúil ar an chruinniú sin aréir ?"

" Ní fiú dada iad," ar seisean.

Bhí sé an-deacair comhrá a bhaint as. Thug mé iarraidh eile.

" An chéad rud atá a dhíth ar Éirinn," arsa mise, " an Ghaeilge a fhoghlaim. Dhá dtrian cuidithe toiseacht."

" Ní dóigh liom," ar seisean, " gur teanga léannta an Ghaeilge."

" Ó, ní hamhlaidh," arsa mise. " Tá an léann againn is sine san Eoraip ach léann na Róimhe agus na Gréige a thógáil as."

" Níl ach an dá inscne sa Ghaeilge," ar seisean, " baininscneach agus firinscneach. Sin droch-chomhartha ar theanga ar bith."

" Níor dhearc mé riamh ar an dóigh sin uirthi. Go dearfa, bhí inscne eile sa tSean-Ghaeilge. B'fhéidir go bhfuil riachtanas go fóill léi," arsa mise, á bhreathnú ó mhullach go sáil.

" Drochrud gan a bheith i dteanga ach firinscne agus baininscne," ar seisean arís.

Thug mé fá dear nach raibh a intinn umhal ar chor ar bith, ach nuair a chanadh sé caint intleachtach nach dtigeadh leis fad ar bith a bhaint aisti. Go dearfa, ní thigeadh focal ar bith leis ach go fadálach, mar bheifí á cheapadh ina sceadamán. Ní raibh sé i bhfad istigh go dtug sé litir eile dom. Léigh mé í agus thuig mé gurbh fhearr leis a chomhrá a dhéanamh le litreacha.

D'iarr mé air a theacht thart arís am ar bith a dtiocfadh sé de mhian air. Tháinig sé an tseachtain ina dhiaidh sin agus litir eile leis. Mhair sé fada buan ag tarraingt orm agus bunús a chuid caidrimh ar iompar ar páipéar leis. B'annamh a labhradh sé, ach d'inis sé aon uair amháin dom gur as Contae

Luimnigh é, gur fágadh oidhreacht aige nach raibh mór, go raibh an seacht déag agus sé pingine sa tseachtain de theacht isteach aige, agus go raibh sé ag iarraidh a bheith beo air sin. Bhí seomra aige i gceann de na sráideanna cúil.

Ba duine é nach dtiocfadh dánacht a dhéanamh air. Ní bhfuair mise de aithne riamh air ach go bhfosclaínn an doras anois agus arís agus go bhfaighinn ag bun an dorais é agus gan mé ag dúil leis, mar thiocfá ar éan ocrach i ndúlaíocht geimhridh. Casadh orm trí nó ceathair de chuarta é ag teacht leis an tuile go gruama fadálach amuigh ar an tsráid. Thug mé fá dear an uair dheireanach a chonaic mé é go raibh sé ag ligean feasóige air féin. Bhí an fhéasóg dubh agus í orlach go leith ar fad, agus dá éagsamhalta a chuma roimhe sin bhí sé dhá uair chomh héagsamhalta ina dhiaidh. Níor lig sé riamh air féin gur aithin sé mé amuigh ar an tsráid. Is iomaí uair a chuir mé ceist orm féin an raibh mórán daoine eile aige mar mise a dtugadh sé cuairt dá chuid cuairteanna aisteacha orthu. Tá eagla orm nach raibh. Ní bheadh dúil ar bith i nduine aige nach raibh intinn an-domhain aige. Bhí formhór an tsaoil agus ní labharfadh siad leis ach a oiread agus choinneodh préachán dubh cuideachta le préachán dearg. Ní feasach dom goidé mar chaitheadh sé an lá, murbh iad na litreacha nó na haistí beaga gearra tostacha úd a dhúdhícheall. Ní feasach dom cé acu de dhíobháil rásúir a lig sé an fhéasóg air féin nó de gheall ar comhartha sofheicseanach a bheith aige ar fhás úr a tháinig ar a leagan amach. Ní feasach dom goidé a tharla de ón uair dheireanach a chonaic mé ina dhuine chorr é i measc na sluaite a bhí ar an tsráid.

Má shiúil tú riamh tríd ghaileirí na bpictiúirí thug tú fá dear pictiúir ansiúd agus anseo a fuair greim ar d'intinn. Sheasaigh tú aige, agus i gceann tamaill d'imigh tú leat agus d'fhág tú i do dhiaidh é. Ní thug sé grá duit agus níor throid sé leat; níor shiúil sé an ród leat. Ba é a dhálta sin agamsa agus ag Diarmaid Ó Loingsigh é.

5

Bhí mo lóistín úr cóngarach don fharraige agus bhí mo sháith fairsinge agam le siúl ar an tráigh.

Tógadh a chois farraige mé agus bhí dúil riamh agam a bheith ag spaisteoireacht ar an tráigh. Ba deise mo thráigh dhúchais ná mórán tránna, ach tá buanna áirithe ag gach uile chladach. Ba seo an chéad uair dom a bheith ag cócaireacht dom féin agus, cé go raibh ainchleachtadh orm, ní raibh feidhm orm a bheith istigh ar eagla go bhfuaródh mo chuid orm. Ba ghnách liom dhá bhéile mhóra a ithe sa lá, agus an chuid eile den am bhí cead mo chinn agam. Bhí an samhradh ann agus ní dhearn mé faillí ar bith sa ghréin; bhí mé amuigh fúithi go dtí gur shúigh sí isteach go smior ionam.

Tháinig galar aisteach orm an bhliain sin. Ar feadh thrí lá tháinig an brón agus an lionndubh ar m'aigne a ba mhillteanaí a mhothaigh mé riamh. Níor fhan brí ciaróige ionam. Ní raibh fonn ar bith orm a dhul amach, cé go raibh aimsir ann a mheallfadh duine ar bith. Níorbh fheasach dom go dtug mé masla ar bith dom féin. Ní raibh slaghdán ná tinneas bhéal an ghoile orm. Ba mhinic a smaoinigh mé gur barraíocht den ghréin a fuair mé.

Ba ghnách le Tomás Ó Ciaragáin cuairt a thabhairt orm go minic. Thigeadh sé chugam go luath agus go mall. Maidin amháin bhí mé ar mo dhícheall ag déanamh réidh mo bhricfeasta nuair a tháinig sé isteach chugam.

" Tá fear amuigh anseo," ar seisean, " agus mura miste leat ba mhaith liom tú a bhricfeasta a thabhairt dó. Casadh ormsa an duine bocht agus é i riocht a sceadamán a ghearradh. Chodlaigh sé amuigh aréir."

" Imigh agus tabhair isteach é," arsa mise.

Tháinig sé isteach ar ball beag agus fear caol ard dubh leis.

"Seo Mac Uí Neachtain," ar seisean.

"Morra na maidine duit, a Mhac Uí Neachtain," arsa mise.
"Bhí i do shuí."

"Chodlaigh sé amuigh aréir," arsa Tomás, " agus tá mise
agus é féin ag dul i gcomhairle go bhfeice muid goidé is fearr
dó a dhéanamh."

"Ní dhéanfadh greim bricfeasta dochar dó," arsa mise,
ag éirí agus ag toiseacht. San am chéanna thug mé spléachadh
air agus thug mé fá dear go raibh a chuid éadaigh deismir cé
go raibh sé smolchaite. Ní raibh sé cosúil le fear a chodlaigh
amuigh.

"Cá háit ?" arsa mise.

"Ar bhruach an chaineáil," ar seisean.

"Drochrud an codladh amuigh," arsa mise, " cé go bhfuil
an samhradh ann. An bhfuil tú i bhfad ar an tráigh fhoilimh ?"

"Cúig nó sé mhíosa," ar seisean. " Bhí mé féin díchéillí
fuair mé iasacht bheag ó bhanc."

"Is cuma sa diabhal fá sin, eadrainn féin," arsa mise. " Is
fada an lá a bheifeá ag baint iasacht de bhanc sula bhfaighfeá
a oiread agus fuair an banc é féin ar iasacht."

"An dóigh leat go bhfuil an ceart ag na Rúisigh ?" ar
seisean.

"Is dóigh liom go bhfuil cuid den cheart acu," arsa mise,
" ach ní dóigh liom go bhfuil an t-iomlán de acu."

"Ní shílim féin go bhfuil an ceart acu," ar seisean.
"Ní mheasaim go dtig Dia a shéanadh."

"Ní thig," arsa mise, " ach tá bunús an tsaoil mhóir á
shéanadh san am i láthair, agus an chuid is mó atá ag cur i
gcéill go bhfuil creideamh acu fosta. Ní hiontas ar bith nuair
atáthar ag ionsaí creideamh bréige go bhfaigheann creideamh
fírinneach corrbhuille. Mar deir an seanfhocal, an neamh-
choireach is dóiche a bheith thíos leis."

"Tá creideamh daoine ag cur lena n-intinn," ar seisean.
"Ní thig creideamh a thuigbheáil gan staidéar a dhéanamh ar
intinn an duine. Tá páirt de intinn an duine spioradáilte,

agus sin cuid Dé. Tá páirt eile cruaidh, cadránta, intleachtach, agus sin cuid an diabhail."

Nuair a chuala mise seo lig mé siar mo cheann agus dhruid mé mo dhá shúil, gnás atá agam nuair a bhíos an inchinn spreagtha. B'fhada ó chuala mé caint a bhí chomh maith léi. Ba mhinic i mo shaol a d'fhiafraigh mé díom féin cad chuige a raibh amadáin ann a raibh anam acu agus fir ghéarchúiseacha go leor nach raibh cuma orthu go raibh anam ar bith iontu.

" Fuair Dia bua an diabhail," arsa mise, " agus chuir Sé go hIfreann é. Ach ní fheiceann muid ró-mhinic an spiorad ag fáil bua ar an intleacht i ndaoine. Creidim go gcuala tú an ramás:

Rinne Dia gach maith lena bhriathar,
Ach rinne peaca na sinsear an díobháil;
Sé ár ndóchas i gcruachás
Go bhfaighidh Dia lámh an uachtair.
Ach 'na dhiaidh sin tá sracadh sa diabhal.

Sin an rud atá ag caitheamh orainn uilig san am i láthair, go bhfuil sé furasta a chur in iúl dúinn go bhfuil teacht i láthair sa diabhal agus fios gnoithe aige. Ach tá do bhricfeasta réidh anois agus tá mé cinnte gur ó Dhia a thig an dea-ghoile. Suigh anall."

D'ith sé tráth measartha, ach chonacthas dom nach raibh sé mórshách ar chor ar bith.

" Níl a fhios agam goidé is fearr dó a dhéanamh anocht ? " arsa Tomás.

" Níl a fhios agam," arsa mise. " Is mairg nach dtig liomsa mórán cabhrach a thabhairt duit. Scríbhneoir mé, agus is iomaí lá fliuch a thig orm."

" Bhí mé ag déanamh gur scríbhneoir thú," ar seisean, " nuair a chonaic mé an méid páipéir a bhí ina luí thart. Is minic a thug mé féin in amhail a dhul a scríobh."

" Má tá ábhar scríbhneoireachta i do cheann," arsa mise, " is mairg nach dtoisíonn tú."

" Tá," ar seisean, " tá scéal agam, scéal fíor, agus is dóigh liom gurbh fhiú a scríobh. Is maith an cruthú é go bhfuil anam sa duine agus go dtig le dhá anam a bheith i gcaidreamh le chéile agus an dá cholainn na céadta mílte ó chéile, agus b'fhéidir ceann acu faoi na fóide.

" Bhí beirt san áit s'againne a raibh lámh agus focal eatarthu. Caiptín airm a bhí san fhear. Tháinig an cogadh agus b'éigean dó imeacht agus an cailín a fhágáil léi féin. Ba ghnách leis scríobh go minic ar feadh bliana nó fán tuairim sin, agus ansin tháinig an scéala go raibh sé caillte. Chreid achan duine é ach an cailín féin. Ach ní chreidfeadh sise nó bhí sé le theacht ar ais. Bhí bealach a ba ghnách leis an bheirt a shiúl go minic, amach an gleann. Théadh sí amach an gleann seo léi féin bunús achan lá. Chuaigh dhá bhliain thart agus ní tháinig lá scéala ón chaiptín. Tráthnóna amháin bhí sí ag dul amach an gleann nuair a baineadh stad aisti mar rachadh piléar thart lena cluais. Tháinig sámhán laige uirthi agus tugadh chun an bhaile í, agus bhí sí ina luí fada buan ina dhiaidh. Shíl a bunadh go dtáinig seachrán uirthi, nó bhí sí ar fad ag rá go dtiocfadh an caiptín isteach an gleann agus nach raibh de eagla uirthi ach nach mbeadh sí beo go dtiocfadh sé. Dúirt an dochtúir go raibh an croí lag aici agus nach mairfeadh sí i bhfad. Ach bhí sí ag brath a bheith beo go bpilleadh an caiptín. Dúirt sí nuair a bhí sí ag dul amach an bealach mór go raibh sí cinnte go raibh an buachaill óg ina sheasamh ag a taobh, cé nach bhfaca sí é agus nach gcuala sí é. Tháinig an bás uirthi fá dheireadh. Ní raibh a corp ar shiúl as an teach nuair a chonacthas fear ina sheasamh ag bun an chrainn ar thit sí aige. Ba é an caiptín a bhí ann."

" Tá ábhar scéil agat go dearfa," arsa mise. " Agus is furast duit a scríobh am ar bith. Is é an rud is deacaire san am i láthair agat a bheith beo ar chor ar bith. An bhfuil tú i bhfad ag codladh amuigh ?"

" Chuir bean an lóistín amach ar maidin inné mé," ar seisean. " Ní raibh pingin agam nó aon áit agam le dhul."

" Ar an drochuair níl airgead fairsing agamsa," arsa mise,

" agus níl agam ach an seomra beag seo agus an leaba seo. Thig leat a theacht isteach ar maidin amárach agus do bhricfeasta a fháil. Ach sin a dtig liom de chabhair a thabhairt duit. Tá scríbhneoirí ann a bhfuil airgead acu."

" An bhfuil aithne agat ar a leithéid seo?" ar seisean, ag ainmniú scríbhneora nach raibh i bhfad ón áit.

" Tá," arsa mise, " agus b'fhéidir go gcuideodh sé leat."

Tháinig ainmneacha chúig nó sé scríbhneoirí amach sa chomhrá ansin. Chuaigh an seanchas ar aghaidh go bhfacthas dó go raibh sé tráthúil imeacht.

" Goidé mar casadh ort é?" arsa mise le Tomás nuair a d'imigh sé.

" Casadh orm thuas i bPáirc H— é," ar seisean. " D'iarr sé toitín orm ó thús. Ansin chuaigh sé chun comhrá liom agus d'inis sé dom go dtabharfadh sé ainíde dó féin ach go bé gur casadh orm é. Thug mé dhá scilling dó."

" 'Fhad is bheas grian ar an aer ní rachaidh fial go hIfreann," arsa mise. " Ach ní shamhlóinn dó go raibh lá smaointe aige ainíde a thabhairt dó féin. Ach is cuma, fear é chomh haisteach agus casadh orm le fada, fear nach mbeadh feidhm ort a bheith ag comhrá ar an aimsir leis. Tá dúil agam go dtiocfaidh sé amárach."

Ach ní raibh fiachadh orm fanacht go dtí an lá arna mhárach. An tráthnóna sin dúradh liom go raibh fear do m'iarraidh. Fuair mé Mac Uí Neachtain ina sheasamh ag an doras.

" Bhí mé ag smaoineamh ó shin ar an scéal sin a scríobh," ar seisean. " Fuair mé páipéar ach ní raibh aon áit agam a scríobhfainn é. Shíl mé go mb'fhéidir go ligfeása isteach tamall mé."

" Tá mise go díreach ag dul amach," arsa mise, " agus ní bheadh sé indéanta agam tú a fhágáil istigh i mo dhiaidh. Tar isteach amárach go bhfaighe tú do bhricfeasta, agus ná lig an scéal as do cheann. Béarfaidh tú air."

Ar maidin an lá arna mhárach bhí Tomás isteach go luath, agus níorbh fhada ina dhiaidh go dtáinig Mac Uí Neachtain.

" Tá súil agam go raibh leaba mhaith aréir agat ?" arsa mise.

" Bhí," ar seisean; " casadh cara orm."

" Deacair go leor atá sé ag duine bocht cara a fháil," arsa mise. " Níor casadh aon chara ormsa riamh ach cara a bhí ar shéala a bheith chomh bocht liom féin. Agus is iontach an méid daoine atá ar an ghannchuid. Níor thuig mé riamh é gur fágadh mé féin gann. Tím stócach bratógach thíos ansin achan lá agus airteagal aige mar bheadh coinneog ann agus é ag casadh láimhe agus é ag bualadh maistreadh ceoil. Ní éisteann aon duine leis, ní amharcann aon duine air. Níl a fhios agam goidé mar bhíos sé beo. Is dóigh liom ina dhiaidh sin go mbíonn an cineál sin i bhfad níos saibhre ná shamhlófá."

" B'fhiú do dhuine ceann de na gléasraí ceoil sin a fháil," arsa Tomás, " agus a dhul thart an tír leis."

" Bhí mé féin ag smaoineamh air sin," arsa mise. " Níl aon ghléas ceoil eile déanta a dtiocfadh liomsa lámh ar bith a dhéanamh de. Agus is cinnte go bhfeicinn cuid mhór den tsaol i mo sheasamh ansin ar thaobh na sráide agus gan le déanamh agam ach lámh a chasadh. Beatha fhiliúnta í."

Ba é an rud a bhí faoi seo agam cumann a dhéanamh idir an triúr againn. Bhí mé ag dúil go spreagfainn Mac Uí Neachtain dá dtráchtainn ar ghníomh a dhéanamh a bheadh éagoitianta nó ráscánta. Ach ní raibh cuma air go raibh ciall ar bith do ghreann aige. Níor lig sé dada air.

Tharraing mé scéal eile orm.

" Tá an té atá bocht i gcruachás," arsa mise. " Ní bhíonn trua ar bith dó. Ní bhíonn trua do dhuine ar bith in Éirinn mura dté sé ar meisce nó mura bhfaighe sé bás. Níl a fhios agam goidé an fáth atá leis sin ?"

Ach níor thaitin seo le Mac Uí Neachtain ach a oiread. Is iomaí uair a casadh fir orm a raibh tuigse ar an taobh amuigh den fhírinne acu ach nuair a théim go cnámh lom na fírinne bím gearruaigneach.

" Tá drochdhóigh ar an tír," arsa mise. " Rinne muid dearmad den dóigh le curaíocht a dhéanamh agus níor lig

49

4

Sasam dúinn riamh greim a fháil ar innealacha. Níl obair ar bith sa tír ach polaitíocht."

" Ní thaitníonn polaitíocht liom," arsa Mac Uí Neachtain. " Níl i bpolaitíocht ach gaoth mhór."

" Tig corr-éadáil léi ina dhiaidh sin," arsa mise.

Rinne muid tamall comhrá mar seo ach ní raibh an fonn céanna cainte ar Mhac Uí Neachtain a bhí an lá roimhe sin. Ní raibh sé i bhfad gur imigh sé.

" Ní fheicfidh muid níos mó é," arsa mise le Tomás.

Ach níorbh fhíor dom. Idir sin agus tráthnóna bhí sé chugam ar ais.

" Fuair mé an gléas ceoil sin duit," ar seisean.

" M'anam nach raibh mé ag dúil leis," arsa mise.

" Chuaigh mé chun cainte le buachaill a bhíos ag bualadh ar cheann acu," ar seisean. " Thiocfadh liom ceann a fháil duit ar chúig nó sé scillinge. Má thugann tú sé scillinge dom tá mé ag déanamh go bhfaighidh mé é."

" Ná bac leis," arsa mise. " Ní raibh mé ach ag déanamh grinn."

" Ó," ar seisean, " shíl mé go raibh tú dáiríre."

Shíl mé go mbeadh sé deacair agam a chur chun siúil ach ní raibh. Thiontaigh sé ar a sháil sa bhomaite agus d'imigh sé. Thug mé fá dear an diúlach agus cuinneog an cheoil aige ag fádóireacht thuas fán choirnéal.

" An gcuala tú iomrá riamh ar an rud a dtugann lucht léinn sreangán an bhídh air ?" arsa mise le Tomás an lá arna mhárach. " Nuair a mharaíos an leon bó nó fia itheann sé cuid de agus fágann sé an chuid eile. Bíonn beathach allta eile ag furachas leis imeacht go bhfaighe sé an fuílleach, agus itheann beathach allta eile a fhuílleachsan. Is é a dhálta sin ag an chine dhaonna é. Is beag duine nach bhfuil beo ar dhuine éigin eile. D'iarr Mac Uí Neachtain toitín ortsa, agus de do thairbhese fuair sé aithne ormsa agus thug sé fear bhocsa an cheoil sa mhullach orm. Bhí an sreangán ag éirí mór achan lá. Bheadh sé chomh fada leis an tSionainn ach go bé gur ghearr mé é."

" An síleann tú nár inis sé an fhírinne dúinn ?" arsa Tomás.

" Is dóigh liom go raibh sé in anás," arsa mise, " ach tá mé cinnte go bhfuil sé ar an anás leis na blianta. Bheadh sé ionraice i mo shúile a choíche dá mbíodh sé gan a dhul a fhostó an ghléas ceoil dom. Thug sin mo sháith dom de. Ach thaithin sé go mór liom an dóigh ar imir sé a chleasa. Nuair a casadh ortsa é níor inis sé scéal iontach ar bith. D'fhéadfadh bacach ar bith a inse duit gur chodlaigh sé amuigh agus go raibh sé ag brath ainíde a thabhairt dó féin. Ach nuair a chuaigh sé chun comhrá liomsa rinne sé go sárchliste é. Má ba bhuille fá dtuairim an comhrá a tharraingt ar chreideamh agus ar an Rúis, ba mhaith é; ach má ba dh'aon turas a rinne sé é bhí sé as cuimse, nó bhí mise ag smaoineamh ar an cheist sin go mion minic i rith an gheimhridh. Nuair a d'inis sé an scéal agus broslaíodh é lena scríobh shíl sé go raibh leis. Tá cineál de bhuaireamh orm nár lig mé dó a dhul ar aghaidh leis go bhfeicinn goidé a dhéanfadh sé."

" An bhfuil barúil ar bith agat goidé a bhí faoi ?" arsa Tomás.

"Thug mé fá dear ag breathnú amach ar an fhuinneog é síos sa gharraí," arsa mise. " Ach níl a fhios agam cé acu a bhí dada faoi aige nó nach raibh. B'fhéidir go raibh sé ag dúil go bhfágfainn airgead ina luí thart."

" Chuala mé m'uncal ag caint ar fhear darbh ainm Mac Neachtain a bhí ina bhacach mhór thall san Airgintín," arsa Tomás. " B'fhéidir gurb é an fear céanna é."

" Fiche scéal ab iontaí," arsa mise.

6

An tseachtain ina dhiaidh sin casadh fear orm a bhí ar an chuid ab airde de chuid ceannfort an I.R.A.

Tharla go bhfuair mé aithne air cúig nó sé 'bhliana roimhe sin. Bhí sé i dtólamh ag iarraidh mo thabhairt isteach san I.R.A., ach bhí rud éigin i gcónaí ar m'intinnse a thug orm gan géilleadh dó. Níorbh é mo bhealach féin é ach a oiread.

Nuair a casadh orm an lá seo é spreag rud éigin mé le uchtach a thabhairt dó. Bhí sé ag teacht amach as siopa agus bhí carr ina sheasamh ar an tsráid aige.

"Cad chuige nach ndéan sibh rud éigin?" arsa mise. "Tá daoine ag cailleadh cuimhne go raibh Éire riamh ag iarraidh Poblachta. Lig dreabhlán na Comharsheilbhe a dteach a dhó. Nuair a dhós do chomharsa do theach ní fheicim de leigheas air ach a theachsan a dhó. Níl aon duine den scaifte sin dáiríre."

"A dhuine chléibh," ar seisean, "an té atá dáiríre ní thig leis a dhul ar chúl scéithe lena chuid fírinne. Bhí siad ag cur i gcéill go raibh siad ina gComharsheilbheoirí agus ina nÉireannaigh agus ina gCaitlicigh i gcuideachta."

"Ní fheicim goidé an fáth nach mbeadh siad na trí chuid," arsa mise. "Is é an bharúil a bhí agamsa nach raibh siad ina gceachtar den triúr."

"Fan go fóill," ar seisean, "tá carr liom. An mbeifeá liom giota den bhealach?"

"Cá fhad atá tú ag dul?" arsa mise.

"Thart ar Éirinn," ar seisean.

"Beidh mé leat an bealach uilig," arsa mise.

Thaitin seo leis. Shocair muid féin sa charr. D'aithin mé go raibh cuid mhór síte den charr aige. Thiomáin sé go faichilleach agus go hachomair. Chonacthas dom go raibh sé

ag sílstean gur cheart domsa bród a bheith orm as a bheith i
mo shuí i gcarr. Ach cuirimse an duine os cionn obair a
láimhe. Sin an fáth a gcuirim mo chosa in airde ar tháblaí i
dtithe itheacháin agus a mbíonn gal toite fá dtaobh díom i
dtithe siopaí agus in oifigí. Amach linn bealach mór na Mí
agus muid ag caibidil linn go dúthrachtach.

"Is mór an mhaith a rinne an Piarsach," arsa mise. "Níl
aon duine in Éirinn nár mhothaigh éifeacht éigin ann féin de
thairbhe na héachta sin a rinneadh i 1916. Ach is mór an
dochar a rinne sé fosta. Is cuimhin liom lá amháin a bhí mé
ag siúl tríd Bhaile Átha Cliath agus chonaic mé dhá gharda
mhóra agus gan cuma orthu go raibh siad sóúil ar chor ar
bith. Bhí bean shalach bhratógach istigh eatarthu agus í ar
deargmheisce, agus í ag gabháil cheoil i sean-ard a cinn:

> Mid cannon's roar and rifle's peal,
> We'll chant a Soldier's Song.

Dar liom féin, is réidh stiall de chraiceann fir eile agat."

Shíl mé go rachadh sé a gháirí ach ghlac sé iontach dáiríre
mé.

"Má tá daoine gan bhéasa ar an tsaol níl neart againne
air," ar seisean. "Bhí drochdhaoine i gcónaí in ár measc,
daoine a bhí fabhtach, daoine a bhí furast a cheannach."

"Ní thiocfadh a rá go raibh an bhean mheisce úd furast a
cheannach," arsa mise. "Ach bíodh aici. Nach síleann tú go
bhfuil muid uilig cineál saor?"

"Tá luach ormsa chomh maith le duine," ar seisean. "Ach
luach é is airde ná an luach atá ar an mhórchuid."

"Tá mo luachsa chomh mór agus nach gceannaíonn aon
duine mé," arsa mise. "Ní mheasaim go dtiocfadh le
polaitíocht mo cheannach. B'fhéidir go dtiocfadh, dá dtuiginn
goidé atá sibhse ag brath a dhéanamh má gheibh sibh isteach."

Thoisigh sé ansin agus mhínigh sé dom an rud a chuala
mé agus a léigh mé céad uair, go dtí gur stop mé é.

"Is leor sin, le do thoil," arsa mise. "Is maith sin agus is ró-mhaith. Ach an mbrisfeadh sibh na teileafóin agus an ndófadh sibh na foirmeacha?"

" Ó, bheadh buaireamh mór orm dá gcuirtí an méid ama amú agus chuirtear san am i láthair."

" Níl tú go holc ar chor ar bith," arsa mise. " Agus tá an oíche ag teacht, agus tá muid ag dul siar ar astar nach ngealltar d'achan duine. Is dóigh liom go bhfuil Uisneach cóngarach dúinn. Agus an bhfeiceann tú an seanchaisleán sin agus é lán féir ? Nach bocht an tuigse atá ag an té a thruailligh le féar é ?"

" Is é abhfuil de locht agam air nach bhfuil sé úsáideach fá choinne féir féin," ar seisean. " Seanbhallóg ina luí faoin deoir."

" Ná habair sin," arsa mise. " Bhí sé lá agus ba é daingean daoine agus daonnachta é, agus má thug sé a sheal ná síl nár fhág sé a lorg. Den chineál chéanna daoine an mhuintir a rinne an caisleán sin agus an mhuintir a rinne Teampall Pheadair sa Róimh, agus an mhuintir a chum art agus filíocht agus a chuir fáinne fán domhan. Deir na Gaeil go bhfuil dhá ealaín ag meath—an fhilíocht agus an tsaoirsineacht. Is dóigh liomsa go bhfuil a lán eile ag meath ina gcuideachta."

D'imigh muid linn, ag diospóireacht mar seo, agus an clapsholas ar chranna ar dhá thaobh an róid. Chuaigh muid thart le geataí, agus le tithe a bhí soiprithe i ndosanna crann. Thosaigh solais a theacht amach ar gach taobh dínn mar bheadh réalta ann. Chuaigh muid tríd bhailte beaga a bhí socair suaimhneach ar thaobhanna ár n-astair. Fá dheireadh, nuair a bhí sé chóir a bheith ó sholas, stop mo dhuine an carr.

Bhí fear fada dubh a raibh meallbheart air ina sheasamh faoi chrann, mar bheadh taibhse ann. Bheannaigh sé dúinn agus ansin chuaigh sé isteach sa charr. D'fhág muid an bealach leathan ansin agus rinne an taibhse an t-eolas dúinn thart trí nó ceathair de chroisbhealaí.

" An bhfuil siad gnoitheach ar na laethe seo, a Sheáin ? " arsa an tiománaí.

" Níor bhog siad le tamall," arsa an taibhse, " ach tháinig

fear eile go dtí an bheairic. Tá muid ag dúil nach mbíonn sé i bhfad go raibh sé ag smúracht thart."

Nuair a bhí trí nó ceathair de mhílte déanta againn tarraingeadh suas an carr ag geata, agus as go brách leis an taibhse.

"Tá muid ag dul isteach anseo," arsa an ceannfort. Bhéarfaidh mé Liam Ó Casaide mar ainm air.

Ba de thógáil an bhaile mhóir Liam. Thug mé fá dear sin air ag dul suas an cabhsa go dtí an teach. Cé go raibh an cosán cothrom go leor bhí sé mar bheadh dall ag siúl ar clochán ann. Chuaigh muid suas a fhad leis an teach. Bhí fear sna déaga is fiche istigh sa chistin agus é ag freastal an tí é féin. Bhí áit tine sa chistin den tseandéanamh, a bhí fairsing go leor le beathach capaill a chur ina sheasamh inti. Bhí bac ar gach taobh a bhféadfadh duine suí air dá mbíodh sé fuar. Bhí tine de chraobhóga crann thíos. Níor thír guail nó móna í. Rinne fear an tí tráth fial bídh réidh dúinn, a dheoin nó dh'ainneoin.

Ní dhearn muid ár gcomhrá ar chogadh nó ar cheart an phobail. Ní raibh dada iontach sa chomhrá ach a oiread le comhrá idir bheirt ar bith a bheadh in eolas a chéile. Thuig mé as an méid seo go raibh an fear seo ina cheannfort agus gur coinníodh an t-uafás agus an fhilíocht i dtaisce fá choinne na bhfear ab ísle ná sin. Is é an saol é, arsa mise liom féin.

Níor tharla dada annamh nó iontach gur fhág muid an teach. Chuaigh muid trasna ar an tSionainn agus bhain muid Gaillimh amach idir sin agus am luí. Thug muid cuairt ar fhear eile ansin agus níor léir dom gur tharla dada iontach ansin ach a oiread. Chodlaigh muid an oíche sin i dteach ósta, agus chuaigh muid amach an tír an lá arna mhárach go dtí baile áirithe astar cothrom ó dheas ar Ghaillimh.

Bhí lá aonaigh ann agus fir righne ghéarshúileacha ar an tsráid ag díol agus ag ceannach. Chuaigh muid isteach i dteach a bhí leath bealaigh síos an tsráid agus d'fhan muid ansin ar feadh leathuaire nó mar sin sula dtáinig aon duine. Ansin cé a tháinig isteach ach sagart. Sagart óg, lách, deaghnúiseach a bhí ann. Shuigh muid agus thosaigh an comhrá, ag caoi fán dóigh a ndeachaigh an cogadh i '22 agus ag inse goidé ba chóir a dhéanamh. Bhí muid suas le huair an chloig ansin sula dtáinig an fear a bhí Mac Uí Chasaide a iarraidh. Buachaill óg dubh a bhí ann. Bhí lúth na teanga leis agus bhí sé tríd a chéile go mór.

" Níl aon duine dá bhfuil ag géillstean dom nach bhfuil a chóir a bheith as a chéill," ar seisean. " Níor fhág an C.I.D. muid le trí lá. Níl bogadh le déanamh agam nach bhfuil siad thart orm. Agus ba chuma sin dá mbíodh mo mhuintir gan a bheith i mbarr a gcéille agus i riocht mé a dhíbirt. Ní féidir a sheasamh."

Thoisigh an sagart a chur céille ann, agus thoisigh Mac Uí Chasaide, agus thoisigh mise agus, creid mé, thug sé ár sáith uilig dúinn. Bhí muid ag caint i rith an tráthnóna. Fá dheireadh thug Mac Uí Chasaide leitir dó agus chuir sé chun siúil é.

" Anois," ar seisean, " tá agam le dhul amach an tír agus beidh an oíche orm."

" Má bhíonn siad romhainn anois," ar seisean ag pilleadh dúinn, " beidh cuideachta ann. An bhfuil eagla ort ?"

" Níl, faic na fríde," arsa mise. " Thuigfinn eagla a bheith ortsa, nó tá cúram éigin ort. Ach ní miste liomsa cá n-éireoidh an ghrian orm. Níl mé féin agus an cine daonna a oiread i gcomhar le chéile agus gur baol dom a gcabhair nó a gcealg."

" Goidé atá thall úd ?" ar seisean.

" Sin iad," arsa mise; " agus mura dtiomáine tú tríothu beidh m'astar amú."

Thiomáin muid tríothu go dearfa. Fuair fear amháin buille de eitean-chlábair a chuir ar a bhéal agus ar a shróin é. Ach ina dhiaidh sin níor scaoil siad.

Leathuair ina dhiaidh sin d'amharc mise i mo dhiaidh.

" Tá carr 'ár ndiaidh," arsa mise.

" Ní hiontas ar bith sin," arsa Liam. " Mura mbíodh sé romhainn chaithfeadh sé a bheith 'ár ndiaidh."

" Tá tú ag éirí dea-chainteach," arsa mise. " Thug mé

fá dear, go dearfa, go bhfuil tú níos dea-chaintí ná bhíos do leithéid. Is iontach an dóigh a gcuidíonn an chontúirt le hinchinn duine."

Choinnigh an carr linn ó ghabháil ó sholas de go ham luí, go ndeachaigh muid thar chríoch Chontae Mhaigheo. Ansin, spléachadh amháin dá dtug mé thart, thug mé fá dear go raibh muid ní b'fhaide uaidh ná ba ghnách linn.

" Tá muid á scothadh," arsa mise.

" Tá sé ina sheasamh," arsa Mac Uí Chasaide, ag amharc thart.

" Tá an ceart agat," arsa mise. " B'fhéidir nach raibh ann ach mná agus peataí mada leo."

Rinne muid Cathair na Mart an oíche sin agus bhain muid fúinn ag fear áirithe ansin agus thug leitir dó. An lá arna mhárach, agus muid ag tarraingt ar Shligeach, chuaigh mé féin a chaint fá na leitreacha.

" Is ábhar iontais," arsa mise, " an oiread sin siúil a bhaint as carr ar mhaithe le leitreacha. Tá mé in amhras nach fiú mórán a bhfuil sna leitreacha uilig."

" Caithfidh muid rud éigin a thabhairt dóibh," ar seisean.

" Dá mbíodh gunnaí chomh fairsing le leitreacha," arsa mise, "b'fhiú an t-astar seo a dhéanamh."

" An síleann tú go ndéanfadh gunnaí é ?" ar seisean.

" Dhéanfadh gunna amháin féin obair mhór," arsa mise. " Dá mbíodh ceann linne agus rois a scaoileadh ar an Mhuileann Chearr, agus rois eile in Áth Luain agus i mBéal Átha na Slua agus i nGaillimh, agus dá réir sin."

" Ní bheadh siad leath lae go mbíodh lorg an charr a raibh an gunna ann curtha acu," ar seisean.

" A dhuine chléibh," arsa mise, " ní rachadh sé mar sin ar chor ar bith. An dá luas agus chluinfí urchair ar an Mhuileann Chearr bheadh achan duine ag dúil lena ghreim féin a shaothrú ar an mrnacalla. Bheadh siad ag iarraidh míle ceithearnach le claíomh cosanta a dhéanamh díobh. Mar an gcéanna ag na bailte eile. Ní rachadh an t-arm i bhfad uilig orthu. Agus ansin bheadh an leath a ba mhó den tír foscailte fúibh le bhur rogha rud a dhéanamh léi."

" Tá tú ró-chruaidh ar dhaoine," ar seisean.

" Á, níl," arsa mise. " Tá mise mé féin i mo rógaire chomh mór le duine ar bith. Ach bíonn scrupall coinsiasa corruair orm."

Chuaigh muid go Sligeach agus fuair muid buachaill óg istigh i seanseomra a bhí lá den tsaol ina shiopa. Bhí deannach agus coincleacha ar gach rud. Bhí leitreacha priontála ina luí thart mar bheadh priontáil a dhéanamh ann lá den tsaol. Ach ba leor duit amharc amháin a fháil ar aghaidh an bhuachalla lena thuigbheáil nach ndearnadh a dhath ann le fada. Diúlach beag drochdhaiteach, buí, nach dtiocfadh dada a léamh ar a aghaidh ach go raibh sé gan tábhacht.

" An bhfuil a fhios agat marc maith ar bith fá choinne na rásaí, a Sheáin ?" arsa Mac Uí Chasaide.

Thoisigh an comhrá ansin ar na beathaigh.

" Shíl mé go ndeachaigh marcaíocht as dáta i gcogadh ? " arsa mise, ar ball beag agus muid in ár suí i dteach ósta ag déanamh ár ndinnéara. " Shíl mé gur imigh tormán na gcrúb mór agus tallann na hionsaí agus loinnir na mbrod agus na gclaíomh a chuireadh maise ar pháirceanna catha fada ó shin."

" Is é a bhfuil de úsáid le beathach capaill anois," arsa Liam, " ag rásaíocht. Beidh tíortha ag cur geallta orthu agus beidh lán páirce de dhaoine ina seasamh ag feitheamh cén beathach a chuirfeas a shoc amach orlach nó dhó roimh an cheann eile."

" Níl dúil i rásaí capall agat ?" arsa mise.

" Níl," ar seisean. " Ach tá dúil mhór i Seán agam."

D'fhág muid Sligeach go mall tráthnóna agus chuaigh muid soir bealach Bhaile Átha Cliath. Bhí an oíche suaimhneach. D'éirigh an ghealach agus muid ag tógáil malach móire agus néalta ina rith ar dhroimeanna cnoc.

" Sin Bealach an Chorrshléibhe," arsa Liam.

Chuaigh muid go Mainistir na Búille agus go Longphort agus as sin chun an Chabháin. Bhí sé i ndiaidh na hoíche nuair a chuaigh muid chun an Chabháin. Bhí muid istigh i dteach ósta i lár an bhaile nuair a mhothaigh muid an búire millteanach amuigh.

"Bó tinn ar ghamhain, creidim?" arsa Liam go heolach.

"Gach aon mar oiltear é," arsa mise. "Ní dhearn aon bhó riamh búire den chineál sin, agus ní cuimhneach liom bó tinn ar ghamhain a chluinstean ag búirigh go hard riamh. An t-ainmhí a rinne an búire sin shíl mé nach raibh sé le fáil in áit ar bith ach i mBaile Átha Cliath."

"I mBaile Átha Cliath ! "

"Sea, sin búire leoin."

Tháinig an cailín isteach ar ball beag agus chuir muid tuairisc an leoin. D'inis sí dúinn go raibh siorcas ar an bhaile agus go raibh a gcampa acu i bpáirc anonn os ár gcoinne.

"Nár mhéanair a gheobhadh braon den ghruth bhuí," arsa mise.

D'amharc sí orm.

"Shíl muid gur bó tinn ar ghamhain a bhí ann," arsa mise, agus thug Liam amharc orm a ba mheasa ná buille de bhata.

An lá arna mhárach chuaigh muid chun an bhealaigh agus ní haithristear scéala orainn go dtáinig muid go Baile Átha Cliath. Chuaigh mé ionsar mo lóistín mar bheadh fear a bheadh ag pilleadh ó laetha saoire. Dar liom go raibh an chathair spadánta marfach. Chuaigh mé isteach agus shiúil mé anonn agus anall urlár mo sheomra go raibh an meán oíche ann. I ndiaidh a dhul thart ar leath na hÉireann ní thug an t-astar dada i mo cheann ach an cúnglach. Bhí mé i bpríosún. B'ionann is an cás agam é, i mo sheomra beag anseo nó idir dhá cheann na tíre. Chuaigh mé a luí agus gruaim orm, agus bhíothas á thaibhsiú dom go raibh rud éigin éagsamhalta i ndán dom gan mhoill.

7

Ar maidin an lá arna mhárach, leis an deifir a bhí orm ag dul amach faoin aer, d'aithin mé go raibh an ghruaim ag dul a leanstan dom. Nuair a thig taom den chineál sin orm bainim an fairsingeach agus an t-uaigneas amach i gcónaí. Bhí na tallannacha sin ag leanstan riamh dom. Is minic a thig filíocht astu. Is ionann iad agus meisce na héigse. Tá siad cosúil leis an tallann a thug Maoise go barr Sinai agus a thug Eoin Baiste taobh anonn de Shruth Iordáin. Apaíonn intinn agus anam an duine ar an fhairsingeach agus san uaigneas, agus i ndiaidh a bhfuil de chlisteacht sna daoine atá anois ann tá sin ceilte orthu. Ach má thig an cine daonna in éifeacht a choíche beidh garrantacha uaignis a bheas mílte ar leithead thart fá gach baile mór.

Chuaigh mé amach as an chathair go dtí an áit a mbíonn an chuid is tréine de na fir ag snámh, ag Cladach an Daichead Troigh. Ach bhí barraíocht daoine ansin agus chuaigh mé bunús míle thart an cuan go cladach Dheilginse, an áit nach raibh aon duine ach mé féin. Chuaigh mé amach go bruach binne gur luigh mé ar an chreig os coinne na gréine. Bhí lá ann a bhrisfeadh do chroí—lá a ba náir leat a dhul thart ar mhéad agus bhí de loinnir sa ghréin agus de chaoineas san aer. Bhí anál na farraige do mo neartú go millteanach, go dtí go raibh mé do mo mhothachtáil féin fiáin. Cuireann aer na farraige brí mhillteanach ionam, go háirithe i m'intinn. Is iomaí uair a smaoinigh mé dá dtigeadh an fonn orm agus mé a chois farraige go scríobhfainn leabhar a shíobfadh ballóg na claigne den mhórchuid den chine daonna.

Ach ní raibh fonn scríbhneoireachta ar bith an lá seo orm. Bhí mé ró-chorrach. Bhí an siúl agus na gníomhartha i mo cheann. Ó lean mé mo bhealach féin bhí mé ag stad de scríobh agus bhí mé ag fiafraí díom féin arbh fhéidir an dá shaol a chaitheamh i gcuideachta, saol an tseachráin agus saol na samhailte. An dtiocfadh le fear suí ar bhruach an chladaigh agus an t-aoibhneas a bhí idir é agus bun na spéire a fheiceáil uaidh, agus an dtiocfadh leis fosta a dhul amach ina choite go fíorghlinnte an aeir ? Bhog an t-achrann seo mé a oiread agus go mb'éigean dom éirí agus imeacht liom an bealach a shiúlas na srutháin, an bealach is réitithe a chastar ina mbealach. Bhí mé ag siúl thart gan treoir go raibh sé ó dhúsholas. Mhothaigh mé mé féin tuirseach ansin agus phill mé ar an bhaile.

Chuaigh mé go Binn Éadair an dara lá, agus go Gleann an Smóil an tríú lá, ach ní bhfuair mé suaimhneas i gceachtar acu.

Ansin thug mé fá dear nach raibh ar an tsaol agam ach ocht bpingin déag agus ní dheachaigh mé ar lorg an uaignis ní ba mhó.

Tháinig Tomás Ó Ciaragáin chugam an lá seo.

" A Thomáis," arsa mise, " níl ar an tsaol agam ach ocht bpingin déag, agus bhí gnás anois le fada agam nuair a thiginn go dtí na scillingeacha deireanacha iad a ól, agus fuair mé amach go mbíodh an t-ádh orm ina dhiaidh. Sin mo sheift dhéanach. Siúil leat go n-imrí muid í."

" Níl mé ag ól," ar seisean.

" Ólfaidh tú fíon úll nó rud éigin," arsa mise. " Siúil leat ! "

Fuair muid leann agus fíon úll ar na hocht bpingin déag. Bhain muid a oiread fad agus a tháinig linn as na deochanna agus chuaigh mise chun an bhaile chomh sásta le píobaire.

An lá arna mhárach bhí a oiread bídh istigh agam agus rinne mo bhricfeasta. Chaith mé an lá ansin fá Fhaiche Stiabhna. Níl duine ar bith i mBaile Átha Cliath nach ndeachaigh tríd Fhaiche Stiabhna, ach is beag duine a thug fá dear dada ach na crainn agus an lochán agus an dara Seoirse ar dhroim a chapaill. Ach an té ar léir dó an saol tífidh sé a lán de i bhFaiche Stiabhna. Tá duilliúr agus féar ann, agus is maith an chabhair do dhuine an duilliúr agus an féar nuair atá an saol ag cur cruaidh air. Smaoinigh mise agus mé i mo shuí ar suíochán ar an ainm a thugadh daoine ar an ghleo agus ar an racán a bhí an taobh eile de chlaí na páirce. Cogadh an tsaoil! Ní hea, dar mh'anam, arsa mise, ach teitheadh an ocrais. Níl duine sna céad míle dá bhfuil ag greafadaigh fán chathair sin a bhfuil uchtach fir aige. Tá siad uilig ag teitheadh. An té a bhfuil sé de chroí aige a dhul i gcontúirt is dóiche é a bheith ag déanamh a scíste istigh sa pháirc seo. Neartaigh an machnamh sin mé. Rinne sé ionad mo dhinnéara dom.

Bhí fear taobh thall díom agus cuma ar a chuid éadaigh go raibh sé san áit a ba tréine i bpáirc an chatha. Bhí leabhar nótaí amuigh aige, agus dá mbíodh sé ag léamh Phlato ní thiocfadh leis a bheith ag meabhrú ní ba doimhne. Cé go raibh sé cúig nó sé troithe uaim d'aithin mé gurbh é an rud a bhí sa leabhar ainmneacha caiple rásaíochta. Bhí beirt nó triúr taobh thall de sin agus iad ag caint go hard:

" An bhfeiceann tú an fear sin ?" arsa duine acu ag síneadh a mhéir chuig croich de fhear fhada bhratógach a bhí ag dul thart ag caint leis féin. " Bhí céad míle punt ag an fhear sin agus chaill sé an t-iomlán."

D'éirigh mé agus chuaigh mé thart an pháirc. Níorbh fhada a chuaigh mé go gcuala mé an glór ag mo ghuallainn:

" An tusa atá ansin ?"

Fear as Albain a bhí ann a chaith seal dá shaol san Astráil agus a bhí sa Chogadh Mhór i 1914, a bhí ar bord loinge a cuireadh go tóin agus a bhí maol marbh ar feadh dhá lá dá thairbhe, agus a tháinig go hÉirinn nuair a bhí deireadh thart. Ba as Éirinn a mhuintir. Casadh ormsa é i dteach lóistín fada ó shin agus bhí muid mór le chéile ar dhóigh nach dtuigeann daoine nach ligeann an eagla dóibh labhairt le coimhthíoch. Bhí suim mhór i bpolaitíocht na hÉireann aige agus rinne muid ár gcomhrá ar sin. D'imigh sé leis ansin agus shiúil mise an pháirc agus an t-ocras ag teacht ar ais orm.

D'fhág mé an pháirc fá dheireadh agus d'imigh mé ar fud na cathrach. Chuir dhó nó trí 'bhacaigh forrán orm ach b'éigean dom mo cheann a chrothadh agus siúl liom. Ní raibh mé in áit na garaíochta.

Anois agus arís chastaí daoine orm a raibh aithne agam orthu. Nuair a bhínn go rathúil bhíodh siad ina rith ag crothadh láimhe liom agus bhéarfainn conradh sa mhórchuid acu. Ach an lá seo, cé go raibh mo bhrataíl go measartha, bhéarfá mionna go raibh a fhios acu nár ith mé aon ghreim ó mhaidin, bhí siad chomh héasca sin ag dul an taobh eile den tsráid. Bhí an méid sin de shásamh agam le linn a bheith fá ghanntanas go raibh daoine neamhshuimiúla ag fanacht amach uaim.

Nuair a bhí mé uair go leith ag siúl chonaic mé teach mór a raibh *Salvation Army* scríofa air, agus tháinig iomlán a gcuala mé fán dream sin tríd mo cheann. Dar liom féin, níorbh olc an tseift iad in am riachtanais.

Tháinig saighdiúir de chuid an Airm as cúl bocsa chugam agus bhí ag brath mo chur ar an liosta leis na bacaigh. Ach dúirt mise go bhfeicinn an ceannfort. D'éirigh liom mo dhóigh a fháil. D'inis mé don cheannfort go raibh mé ag brath a dhul san Arm, agus chuir mé an craiceann a d'fhóir ar an scéal go dtí gur glacadh liom. D'fhág mé an teach agus mo ghoile lán, agus pingneacha beaga airgid liom, agus punainn de *War-Cries* faoi m'ascaill liom.

Níor dhíol mé mórán de na páipéir sin. Chuir mé i láthair a lán daoine iad, agus bhí easpag den Eaglais Chaitliceach ar dhuine acu. Cheannaigh Méara Bhaile Átha Cliath ceann. Dhíol mé ceann eile le Gearmánach a bhí ar laetha saoire agus nach raibh an dada Béarla aige, ceann eile le fear meisce. Cheannaigh Tomás Ó Ciaragáin beirt uaim. Choinnigh mé féin triúr. Nuair a phill mé ar an Arm shíl siad go raibh obair mhór déanta agam.

Bhí mé go seascair an tseachtain sin. Nuair a tháinig an Domhnach chuaigh mé amach le scaifte a bhí ag dul a shean-móir ar an tsráid. Chuaigh muid gur sheasaigh muid ag bruach na habhann, an áit a seasaíonn na busanna. Níl a fhios agam ar aithin aon duine mé an lá sin, nó téann an saol mór thart an bealach sin. Ach níl am ar bith is lú a dtugtar fá dear duine ná an uair is léir don tsaol mhór é agus nach mbíonn aon duine ag dúil leis. Níor sheasaigh aon duine dh'éisteacht ach chúigear nó sheisear de fheara bochta bratógacha a raibh a nguaillí le balla na cé. Dar liom féin, an bhfuil an soiscéal chomh fann seo ar an domhan ? Thoisigh muid ar dhuan sa ghnás atá ag an Arm. Ní raibh a fhios agam féin an duan. Níl mé i mo cheoltóir go dearfa. Ní chuala triúr riamh mé ag iarraidh guth a chur le hamhrán. Ach d'inis cailín a bhí ar bhean ceoil chomh maith agus bhí i mBaile Átha Cliath dom go raibh cluas do cheol agam. Is iomaí uair a smaoinigh mé dá dtoiseoinn agus mo ghuth a chur in iúl do dhaoine go mbeinn i mo cheoltóir, nó tá a nós féin ceoil ag achan cheoltóir, an dóigh a bhfuil a nós féin scríbhneoireachta ag achan scríbhneoir. Níl ach amaidí don duine a bheith ag inse domsa go gcaithfí na hocht nóta a bheith agat. Sin mion-obair an cheoil. Is iad na rudaí móra atá riachtanach: mothú agus glaine gotha agus dráma, rudaí atá ceilte ar bhunús na gceoltóirí ach atá de nádúir agamsa. Ar scor ar bith ní raibh uchtach agam duan an Airm a ionsaí, agus ba náir liom a bheith i mo thost. Smaoinigh mé cén t-amhrán ab fhearr a raibh eolas agam air. Chuaigh mé siar go tús m'óige go bhfuair mé é, agus ansin thosaigh mé go dóchasach:

> Beir scéala uaim siar chun na Rosann
> Ionsar an Dálach arb ainm dó Aodh,
> Gur éalaigh an Chrúbach as Toraigh
> 'S go ndeachaigh sí anonn ar an ghaoth;
> Ní raibh ann ach a cnámha 's a craiceann
> 'S nach láidir mar chuaigh sí chun scaoil,
> Gan coite gan bád ina haice
> A bhéarfadh go seascair í i dtír ?

Má thug an chuid eile fá dear mé níor lig siad dada orthu. Thug mé fá dear na hoibrithe a bhí a chois an bhalla ag éirí furchaidh. Cuireann oibrithe Bhaile Átha Cliath sonrú sa Ghaeilge i gcónaí, agus shíl siad cinnte go raibh fear ag an

Arm fá dheireadh a bhí ag teagasc an tSoiscéil i dteanga Bhríde agus Cholm Cille. Bhreathnaigh siad ó bhun barr mé agus labhair siad eatarthu féin lom dáiríre. Is dóiche go raibh siad ag meas go raibh an t-am ag an Eaglais mé a choinnealbháthadh. Cheol muid linn.

Ar siadsan:
> Onward, Christian soldiers,
> Marching us to war !

Arsa mise:
> A Dhónaill, nach cuimhin leat le n-aithris
> Mar tugadh an Ghlas Ghaibhleanna Mhór
> Go Toraigh ar lorg a rubaill
> Agus tháinig sí ar ais go tír mór ?

Thug seo a oiread uchtaí dom agus go ndéanfainn seanmóir Ghaeilge dóibh i mbomaite, ach ní ar mo chrann a tháinig an tseanmóir an lá sin.

An lá arna mhárach bhí aithreachas orm. Ní raibh sé i ndáil nó i ndúchas agam a bheith ar an iomaire le Arm an tSlánaithe, dá fheabhas an intinn a bhí acu. Chuimhnigh mé ar an lá fada ó shin a tháinig Arm an tSlánaithe go dtí mo bhaile dúchais, go Rann na Feirste. Creidim gurb é Rann na Feirste an baile is Gaelaí in Éirinn. Tá sé ina luí idir dhá chuan chiúine san áit in Éirinn is faide ó Londain agus ón Normainn. Agus níl aon bhall i Rann na Feirste is faide ó achrann ná an Bháinseach. Sin an áit a gcruinníonn an t-aos óg tráthnóna Dé Domhnaigh san earrach agus sa tsamhradh, nuair a bhíos an lán mara chomh ciúin le gloine, agus Béal na Trá Báine le feiceáil thiar, agus Carraig na Spáinneach, an áit a bhfuil long de chuid an Armada ina luí agus aon troigh déag gainimh uirthi.

Tháinig Arm an tSlánaithe i dtír ar an Bháinsigh.

Shéid siad a ngalltrompaí agus sheinn siad a gceol agus Clanna Míleadh fá na páirceanna ag baint choirce nó ag déanamh cruach, agus ag tabhairt míle altú do Dhia ar son na dea-aimsire. Goidé a tharla ach an sagart ag dul thart an baile. An sagart a bhí againn san am, duine ar leith a bhí ann agus tá cuid mhór scéalaíochta air. Bhí sé sotalach agus bhí sé searbh agus bhí sé greannmhar; má bhí cuid de nádúir Cholm Cille ann bhí lán ní ba mhó de nádúir Chonáin Mhaoil ann. Nuair a chonaic sé an tArm ba léir dó i mbomaite go raibh buille ar shlí a bhuailte.

Bhí cruach mhóna ar an Bháinsigh a tugadh anuas le haghaidh áithe cheilpe a dhó. Tháinig an sagart thart go healaíonta ar an Arm go bhfuair sé a dhul taobh na móna díobh agus ansin, a fhad agus bhí fód fágtha, shéid sé orthu. Scab siad soir agus siar, agus níl a fhios agam cé acu amach Bealach Gaoithe nó Bearnas Éamainn Bhradaigh a theith siad ach ní fhacthas a leithéid de dhriopás ar Ghallaibh ó bhí Lá an Chorrshléibhe ann.

Bhí mé ag smaoineamh air seo agus mé ag tarraingt ar theach an Airm an lá arna mhárach. Níorbh áin liom a bheith i gcumann leo agus níorbh fhiúntach agam a bheith ag breith buntáiste orthu. Bhí an saol fada fairsing fúm agus threabhfainn m'iomaire gan iad. Chuaigh mé isteach agus dúirt mé leo go raibh mé ag brath a bhfágáil.

" Is fearr duit dearcadh go maith ort féin," arsa an ceann fort, " agus gan dada a dhéanamh fá dheifre. Tá méin mhaith agat, leis an fhírinne a dhéanamh tá an dea-sholas agat, agus beidh aithreachas ort má fhágann tú muid."

" B'féidir gur léir dom an solas," arsa mise, " ach is iomaí réalta sa spéir. Is neartmhar an rud an dúchas. Mar dúirt mé Dé Domhnaigh seo a chuaigh thart:

> A Dhónaill, nach cuimhin leat le n-aithris
> Mar tugadh an Ghlas Ghaibhleanna Mhór
> Go Toraigh ar lorg a rubaill
> Agus tháinig sí ar ais go tír mór ?"

Ach níor thuig sé mé.

8

Tháinig Tomás Ó Ciaragáin chugam an lá arna mhárach agus chuaigh muid amach go Dún Laoire. Shiúil muid amach an Ché Thiar agus shuigh muid ar na leacacha ar aghaidh na gréine. D'inis mé dó mar tharla idir mé féin agus Arm an tSlánaithe.

Bhí eagla ar Thomás i gcónaí go bhfaighinnse bás den ocras.

" Goidé a dhéanfas tú anois ?" ar seisean.

" Má tá a fhios agam ! " arsa mise. " Ach bolg le gréin a dhéanamh a fhad agus tá i ndán dom."

" An bhfuil a fhios agat goidé a ba chóir duit a dhéanamh?" ar seisean ar ball. " Ba cheart duit a dhul go Ros Cré nó go Sliabh Mellerí. Gheofá do choinneáladh ansin gan pingin gan bonn go ceann fada go leor."

" Ní holc an bharúil," arsa mise, " ach tá rud eile ag faibhriú i mo cheann."

" Eli Ben Alim, b'fhéidir," ar seisean. Bhí Tomás ag síorchaint ar Eli Ben Alim.

" Tá Eli Ben Alim ar Hallaí Choinn faoi seo," arsa mise, " mar a mbíodh an Buinneán Donn ar cheathrú gheimhridh. Ní hea. Tá fear ag teacht is cróga ná Eli, agus fear is fad-cheannaí. Nuair a bhuail an scaileog an leac ar ball bhroid m'aigne agus mé ag éisteacht le lupadán, le lapadán. Chonaic mé i gceo an chéad fhear a tháinig go hÉirinn, mar a bhí Parthalán. Rinne Parthalán an chéad chónaí i dTír Chonaill; d'fhéadfaí a rá go dearfa gur Conallach a bhí ann. Mar sin de tá dáimh agam leis. Nuair a smaoiním ar a ghníomh cuireann sé neart úr ionam. Tháinig sé go hÉirinn agus is dóiche nach raibh airgead leis, nó maoin de chineál ar bith leis ach a bhád agus a chuid maidí rámha agus b'fhéidir bratóg sheoil. D'ionsaigh sé an choigrích lena cheithre cnámha féin. Ní thig linn a dhul fiche míle ó bhaile san am i láthair gan carranna a bheith ár n-iompar agus lucht freastail ár ngiollacht agus ag déanamh an eolais dúinn. Ina dhiaidh sin chuir Parthalán tús ar náisiún atá beo go fóill. Anois dá dtéinnse agus aithris a dhéanamh ar Pharthalán, dá dtugainn liom bád ón chladach seo agus a dhul soir ní bheadh a fhios goidé an éifeacht a thiocfadh dá thairbhe. Cá bith a dhéanfas mé tá mé ag brath a dhul i gcionn an tsaoil gan airgead, nó tá mé dúthuirseach de. Níl ann ach comhartha idir dhaoine gan intleacht a ndéan siad úsáid de le aithne a choinneáil ar a chéile agus le achan duine a dhéanamh chomh suarach leo féin."

" B'fhiú a dhéanamh," arsa Tomás. " Ní bheadh a dhath de mhoill bád a ghoid."

" Chan a gheall ar a bheith cosúil leis na fir a n-instear scéalta don óige orthu atá mé," arsa mise, agus chan ag caint le Tomás a bhí mé ach leis an tsaol mhór agus le mo chiall féin. " Níl an gníomh seo chomh díchéillí agus atá cuma air. Nuair atá duine corradh agus bliain ar an ghanntanas toisíonn rudaí a ghoilleadh ar an intinn aige. Níl aon lá bocht dá dtiocfaidh ormsa feasta nach mbeidh ag cur mo thola agus mo shamhailte chun donais, mura dtuga mé m'aghaidh ar ghníomhartha a dhéanfas éifeachtach i mo shúile féin mé. Níl ach amaidí dom a bheith ag iarraidh airgead a bhaint amach. Chuir lucht an tsaibhris amach ar an doras mé agus ní féidir dom a dhul isteach ar an doras chéanna arís; tá garda ró-chruaidh air. Ach má théim thart ar an dún tiocfaidh mé gan fhios orthu lá éigin agus beidh an bhua chomh sásta liom agus go gcuirfidh sé iontas orm féin. Sin eolas ó Neamh, a mhic," arsa mise; " agus is annamh ina shaol a gheibh fear sin. Sílidh siad i gcúl an dorais sin go bhfuil an bhua acu. Chuir siad amach mé cionn is mé a bheith ró-chontúirteach. Nuair a thiocfas Ceithearnach Caolriabhach Uí Dhónaill orthu an bealach cúil sílfidh siad nach bhfuil ann ach ciafart agus caitheamh aimsire. Nuair a bheas mé istigh beidh áthas orthu ag crothadh láimhe liom. Is cuma goidé chomh hamaideach agus bheas na gníomhartha a dhéanfaidh mé, má bhíonn ciall riachtanach lena ndéanamh. Agus níl bréag ar bith nó tá ciall mhór a dhíth le dhul trasna Mhuir Éireann i mbád bheag, agus lán níos mó a dhíth orm nuair a bheas mé thall."

"Tá a fhios agam áit a mb'fhurast bád a thabhairt leat gan fhios," arsa Tomás.

"Beidh rámhaí riachtanach, bíodh a fhios agat," arsa mise. "Bheadh d'aimhleas déanta dá ngoidfeá bád gan rámhaí. Caithfidh muid rámhaí a ghoid agus a chur i bhfolach sula dtéimid chun an bhaile, agus marc a chur ar bhád."

"Siúil leat," arsa Tomás, agus dar leat gur las grian eile ar an aer dó.

Chuaigh muid thart an cladach. Bhí báid chomh fairsing le clocha doirlinge, ar ndóigh, ach bhí an mhórchuid acu ró-chóngarach do shiúl daoine. Chuaigh muid amach go dtí an Caladh Mór.

"Goidé do bharúil den cheann seo?" arsa Tomás.

"Furast a tharraingt," arsa mise, "ach níl inti ach sliogán. Ach seo bád cosúil leis na báid atá acu sa Ghaeltacht i dTír Chonaill, bád a rachadh fir a dh'iascaireacht go Boilg Chonaill léi gan eagla ar bith a bheith orthu. Tá sí trom ar aon fhear amháin le tarraingt agus tiocfaidh amanna orainn a gcaithfidh muid sealaíocht a dhéanamh, ach tá sí daingean agus dhéanfaidh sí é mura mbrise an aimsir, nó mura gcaille muidne an croí mór meanmnach atá againn. An bhfeiceann tú an t-ainm atá uirthi? *An Mhaighdean Mhara.* Is deas liom é, ach ní thabharfaidh muid aon ainm feasta uirthi ach *Cúl re hÉirinn*, in onóir Cholm Cille agus ár n-astair. Agus anois rachaidh muid giota eile go bhfaighe muid péire de rámhaí troma, triúr más féidir é. Ní bheidh sé furast iad a fholach, nó tá an áit seo faoi chosa an tsaoil mhóir."

"Tá a fhios agamsa áit a bhfuil uamhach faoin chnoc," arsa Tomás.

"Tá sí ag dul siar faoin chnoc ar fad agus ba ghnách linn a bheith amach is isteach inti 'ár ngasúraí. Dhruid siad le mionchlocha ó shin í ach bhris mise poll anuraidh uirthi. Is í an áit í ag na rámhaí."

"Maith thú!" arsa mise. "Chuir tú an chreata ar an éacht. Fágfaidh muid na rámhaí ansin, agus fanfaidh muid san umhaigh anocht go raibh sé tráthúil againn imeacht. Gheobhaidh mise na rámhaí agus bí thusa ag fanacht liom cóngarach don pholl."

Ní raibh sé chomh furast a dhéanamh agus shamhail mé. An dá luas agus théinn a fhad le bád tínn fear ag tarraingt orm agus é ag scairtigh:

"Ag iarraidh báid, a dhuine uasail."

"Cé mhéad," adeirimse.

"Leathchoróin san uair."

"Á, fan go n-éirí an punt." Má tharla sin aon uair amháin dom tharla sé fiche uair dom. Thug mé bualadh éadain do na báid agus fá dheireadh tháinig mé a fhad le ceann nach raibh coimhéad ar bith uirthi. Chaith mé ceathrú uaire ag cur i gcéill a bheith ag obair léi. Bhain mé an corc aisti agus shil mé í. Leag mé ar a taobh í agus thóg mé í agus chuir mé taca léi, agus bhreathnaigh mé ó bhun barr í.' Fá dheireadh chaith mé na rámhaí ar mo ghualainn agus shiúil liom.

Ní dhearn aon duine iontas ar bith díom agus chuaigh mé a fhad le Tomás. Bhain muid an uamhach amach. Agus sin an áit a raibh na hiontais le taispeáint ag Tomás domsa. Chuaigh muid dhá chéad troigh isteach faoin chnoc agus chaith mise deich mbliana de mo ghuaillí agus bhí mé chomh hóg leis féin.

"Rinne mé dearmad de rud amháin," arsa mise. "B'fhearrde dúinn lón bídh. An síleann tú go dtiocfadh linn creach a dhéanamh ar charr aráin?"

"Fan go fóill," ar seisean. "Tá mo mhuintir ag roinnt le siopa mór agus thig liomsa mo rogha bia a thógáil—arán agus iasc, bradáin agus úlla agus uibheacha, agus dá réir sin."

"Agus cupla buidéal bainne," arsa mise. "Agus beidh uisce a dhíth orainn. Deir siad gurb é an t-uisce is cruaidhe a chuireas ar mhairnéalaigh. Tá sé leath i ndiaidh a haon anois. Beidh muid ar ais ar a naoi. Beidh máilín liomsa leis an earradh a chur ann."

Nuair a phill mise chun an bhaile d'ith mé gráinnín bídh a bhí istigh agus chaith mé toitín, an ceann deireanach a bhí fágtha agam. Chruinnigh mé dhá phéire stocaí agus rásúr agus léine agus giota de ghloine scáile agus scildeog shópa, agus rinne mé cuachán díobh. Ansin bhí mé ag brath a dhul amach a shiúl go bhfeicinn na sráideanna a raibh mé cleachta leo. Ach cheap mé mé féin.

" Fóill ! Fóill ! " arsa mise. " Má tá mé ag brath a bheith ag iomramh i rith na hoíche is fearr dom mo scíste a dhéanamh anois."

Luigh mé ar shlait mo dhroma agus leabhar agam. Léigh mé scéal chomh breá agus a hinsíodh ar an domhan chláir riamh, fá fhear a d'imigh as géibheann i mbád bheag as na hIndiacha Thiar. Bhí sé seal ar tús istigh i gcaisleán duine uasail agus scaifte de lucht an chladaigh agus de creachadóirí mara ag déanamh léigir orthu. Maraíodh an duine uasal, agus lá a thórraimh d'imigh an fear óg agus a níon as an chaisleán faoi choim agus bhain siad an bád beag amach. Bhí ceo millteanach filíochta ar an scéal uilig; ní hé amháin go bhfaca tú cónra an fhir uasail agus na manaigh ag dul tríd an teampall agus an altóir mhór breacaithe le coinnle, chomh soiléir agus dá mbeifeá féin ann—chonaic tú ní ba soiléire iad. Thuig tú gurbh é an rud ab iontaí agus a ba doimhne agus a ba bheocha ar an domhan a bheith ag imeacht síos pasáid faoi thalamh as cúl an teampaill sin, mar bhí an buachaill óg úd, agus Spáinneach dubh náimhdeach ag déanamh an bhealaigh duit. B'fhiú ór agus tuilleadh, dar leat, na focail a bhí ag inse gur bhain an bád gliúrascnach as an scairbh nuair a bhíothas á tiomáint. Agus bhí ceo ar an fharraige agus bád a bhí lán de chreachadóirí mara i bhfolach ina lár agus iad ag seinm ar chruiteanna Spáinneacha agus corruair ag déanamh tormáin le rámhaí.

Bhí an saol idir a chodladh agus a mhuscladh agam, agus fairsingeach agus doimhneacht ar leith i mbomaití suaracha an duine, go dtí gur éag an léaró deireanach gréine sa gharraí. Chuimhnigh mé ansin nach i mo bhád féin a bhí mé ag seoladh.

Dar liom go raibh an domhan cineál fuar nuair a chuaigh mé a thabhairt m'aghaidh ar mo ghníomh féin. Bhí aghaidheanna na ndaoine a bhí ar an tram sámh sásta, dar liom, mar bheadh fios mhaith an tsaoil acu agus nach mbeadh agamsa. Is iomaí uair a chuir sé fuacht i mo chuisleanna daoine a fheiceáil sásta. Agus is beag an rud a shásaíos formhór na ndaoine. Chuirfeadh fir baile mhóir samhnas ort: tá siad cosúil le scadáin bheaga i mbocsaí.

Ach ag dul amach an Charraig Dhubh dúinn tháinig fear as an tír isteach. D'aithneofá é dá mbíodh a leath dóite—culaith ghorm air, ar ndóigh, agus dhá láimh mhóra ataithe, agus a bhearád ar thaobh a leicinn. Bhí sé ar steallaí meisce. Shuigh sé ansin agus thoisigh sé a longadán agus a ghabháil cheoil. Ní raibh dul agam dada a chluinstean ach cnúdán mór garbh, ach fá dheireadh chan sé na focail seo go glinn:

We've handled sword and gun,
Fighting every nation's battle but our own.

Agus ansin thoisigh an drandán arís, agus nuair a tháinig sé go dtí na focail chéanna chan sé go sothuigthe iad agus chuir sé teann leo a bhain macalla as mullach an charr.

" Ná raibh an fad sin de thinneas bliana ort ! " arsa mise. " Is tú a bhí a dhíth orm i dtús na hoíche."

Bhí Tomás ag fanacht liom; níorbh eagal dó a bheith mall. Níor fhiafraigh mé dó a raibh cumha air ag fágáil a mhuintire. Bhí soilseachán póca leis agus chuaigh sé isteach romham san uamhaigh agus chuartaigh muid thart gur shocair an dealramh ar na rámhaí, ina luí ansin mar d'fhág muid iad.

" Tá neart ama againn," arsa mise. "Is fearr dúinn gan bogadh go stada na tramanna. Tá achan chineál leat ? "

" Tá, cinnte," ar seisean.

Shuigh muid ansin ag béal na huamhacha, ag déanamh corrfhocal comhrá agus ag coimhéad ar na solais i bhfad uainn agus ar na carranna ag strócadh leo thart agus dealramh millteanach astu. Bhí an oíche chomh ciúin agus dá mbogadh craobh go samhlófá gur ar a conlán féin a rinne sí é. Bhí ceathrú gealaí ina seasamh thoir os cionn na farraige agus bhí scáile solais ar an domhan. Bhí teach solais na Ceise ag broidearnaigh i bhfad amuigh ag bun na spéire.

Thaispeáin Tomás seanphiostal dom a thug sé leis. Bhí sí tuairim ar cheithre scór bliain d'aois agus b'éifeachtaí doirneog chloiche ar bith ná í, ach mhaígh Tomás go bhféadfaí ár a dhéanamh go fóill léi. Mhol mise leis ar mhaithe le samhailt na hóige, agus ar mhaithe le gach ceithearn choille agus creachadóir mara dar mhair nuair a bhí an saol filiúnta.

" Níl dochar ar bith duit í a bheith fán láimh agat," arsa mise.

Bhí na trí huaire sin a chaith muid ag béal an phoill saibhir. Bhí gach bomaite díobh chomh beo le deora sa tuar cheatha nó le dúileagáin sa gha gréine. Bhí an uamhach dhorcha taobh thiar dínn ag dul isteach i gcroí an chnoic, agus bruach an chladaigh fúinn agus an chathair mhór taobh istigh dínn agus céadta mílte de dhaoine tútacha nach raibh ar a n-umhail ach a dhul a luí. Bhí gardaí thart fá fhad scairte dínn a mbeadh áthas an tsaoil orthu ag fáil greim muineáil orainn agus bhí muid saor orthu, agus ina dhiaidh sin ní raibh a fhios againn cén bomaite a chasfaí idir an dá shúil orainn iad.

Bhí sé i ndiaidh an mheán oíche nuair a thiomáin muid *Cúl re hÉirinn* síos an scairbh agus thug muid a srón don toinn. Bhí an fharraige chomh ciúin le loch shléibhe, agus fuair muid amach as an chaslaigh agus anonn Béal Dheilginse gan neach muid a thabhairt fá dear.

" Níl a fhios agam an mbeidh muid i bhfad ag dul anonn ? " arsa Tomás.

" Dá gcoinnímis suas é mar tá muid," arsa mise, " ba chóir dúinn a dhéanamh i gceithre huaire fichead. An rud is measa atá orainn nach dtig linn a dhul díreach. Ach ní bheidh muid i bhfad; níl san fharraige seo ach caitheamh aimsire."

San am chéanna bhí fios maith agam nach ndéanfaimis i gceithre huaire fichead é. Bhí a fhios agam go raibh sroite romhainn agus dá mbíodh gaoth ar bith ann go gcaillfimis cuid mhór, agus go raibh Tomás ina dhroch-iomróir agus nach mbeadh a oiread de theacht aniar ann agus bhéarfadh go maidin muid. Ach ba chuma sin; bhí ár gceann linn.

"Ná bíodh eagla ort, a mhic," arsa mise. "Dhéanfaidh *Cúl re hÉirinn* é roimh an am seo amárach."

D'fhág muid Deilginis in achan phdhubh taobh thiar dínn agus bhí muid thar na cinn. Nuair a bhí míle eile déanta againn bhí muid ag téamh leis agus bhí muid ag tógáil ár n-umhaile den talamh. Agus an dara míle bhí muid socair síos i gcéim fhada bhuan na dtonn. Chuaigh muid ar aghaidh, agus leitheadaigh an fharraige fá dtaobh dínn go dtí nach raibh le feiceáil ach corrsholas. Nuair a bhí muid tuairim ar dhá uair ag tarraingt lig mise mo rámha le ceathrúin.

"Tarraing d'anál," arsa mise le Tomás.

Bhí sé chóir a bheith sáraithe ach ní raibh iomrá ar bith ar scíste aige, agus ní raibh maith a inse dó tarraingt ar a shuaimhneas.

"An bhfeiceann tú an áit a bhfuil solas na Ceise anois?" arsa mise. "Tharraing muid go láidir, ach ní thiocfadh linn sin a choinneáil suas go ceann cheithre huaire fichead. An bhfuil toitín agat?"

Dhearg muid agus chaith muid ar ár suaimhneas. Chuir Tomás a lámh thar an bhéalmhach agus thom sé sa lán mhara í, ach chrup sé go gasta arís í.

"Tá sé diabhalta fuar!" ar seisean.

"Níos fuaire ná shílfeá," arsa mise. "Goidé mar tá na bosa ag seasamh agat?"

"Tá siad dona go leor," ar seisean.

D'amharc mé orthu agus bhí siad ina bhfeolmhaigh.

"Ná bac leis sin," arsa mise. "Sin an t-ainchleachtadh. Beidh tú ag crua leis."

Ní raibh mo bhosa féin ach go measartha ach a oiread.

"Cuirfidh mé bratóg phóca orthu," ar seisean.

" Ná cuir," arsa mise; " is fearr duit gan í. Cuir sa tsáile iad agus fliuch do chuid rámhaí."

D'imigh muid arís. Tháinig fonn comhrá orainn ar ball beag agus ní thug muid fá dear go raibh long chóir a bheith sa mhullach orainn. Chuaigh sí thart linn agus í chomh mór le cnoc, agus céad súil ar a colainn, agus chuir an tonn a thóg sí *Cúl re hÉirinn* a léimnigh mar bheadh blaosc ruacáin ann. Choimhéid muid a cuid solas ag imeacht uainn agus í ag tarraingt ar Bhaile Átha Cliath.

" Is mairg nach bhfuil urchar i do phiostal," arsa mise.

" Tá púdar agam inti," ar seisean. " Bhéarfaidh mé rois dóibh."

D'éirigh sé ar an tafta agus scaoil sé. Rinne an piostal bladhaire beag mar bhuailfeá cipín solais le cloich agus níorbh fhiú dada an tormán a rinne sí amuigh ar an bhlár. Ach bhí mo sháith grinn agamsa.

Bhí muid ag éirí spadánta teacht an lae agus tá mé cinnte nach raibh leath an tsiúil linn. Ach bhí mise ag feitheamh le héirí na gréine go bhfeicinn an t-amharc. Mhothaigh mé an t-aer ag éirí úr agus dar liom go raibh an ghaoth ag géarú. Tháinig sí aníos fá dheireadh, agus dhearg sí an spéir thoir agus rinne sí loinnir ar an fharraige. D'ith muid greim bídh agus shín linn.

Thoisigh muid a dhéanamh sealaíochta ar na rámhaí agus fuair mise amach nach raibh sé baol ar chomh maslach. Ní raibh sé furast agam ar chor ar bith cur le Tomás.

" Títhear dom nach bhfuil an mhaidin chomh glan agus ba chóir di a bheith," arsa mise. " Charbh fhéidir go mbrisfeadh an aimsir ? "

" Táimid chóir a bheith trasna," arsa Tomás.

" Ó, go socair leat, a mhic ! " arsa mise. " Tá an deán fairsing."

Leathuair ina dhiaidh sin d'éirigh an spéir dorcha mar chuirfeá dallóg uirthi. Thoisigh deora a thitim a bhí chomh mór le spíonóga agus thoisigh an toirneach a bhléascadh agus na soilse a léimnigh idir an dá shúil orainn. Bhí an ghaoth ar shiúl thart agus bhí an fharraige ag éirí sa dóigh ar chuir sí an croí ar crith ionam.

"Coinnigh a gob sa ghaoith," arsa mise le Tomás.

Ach ba chuma goidé a dhéanfainn leis bhí sé ag ligean di titim thart, agus ní raibh a fhios agam cén bomaite a rachadh sí thar a corp. Bhain mé na rámhaí de.

"Dá mbíodh gráinnín baláiste istigh againn," arsa mise, "agus bratóg sheoil againn d'fhéadfaimis siúl millteanach a bhaint aisti. Ach contúirteach go leor a bheadh sé, nó níl mé ró-eolach ar sheoltóireacht. Rachaidh muid giota eile ar scor ar bith."

Ach bhí sé ag cur air. Thuig mé dáiríre an lá sin chomh fealltach agus tá an fharraige an séasúr is fearr sa bhliain. Agus is í Muir Éireann atá salach claibeach nuair atá cor inti.

I g ceann leathuaire eile bhí mé ag troid an mhórtais le iomlán mo choirp. Bhí muid araon fliuch go craiceann ag an fhearthainn agus bhí an cáitheadh ag dortadh orainn agus braonta ag teacht ar bord.

"Má mhaireann seo líonfaidh sí orainn," arsa mise; "taom, a chailleach, ar do dhícheall. Tá eagla orm go gcaithfidh muid í a thabhairt thart."

Bhí sé bán san aghaidh an uair seo agus níor dhúirt sé sea nó ní hea. Bhí a fhios agamsa an t-am seo nach ndéanfaimis cladach leath luath go leor. Thug mé thart í agus choinnigh mé díreach roimh an ghaoth í chomh maith agus tháinig liom. Ní raibh maith ar bith i dTomás ní b'fhaide; ní thiocfadh leis buille a bhaint as barr na toinne, agus bhí mé ag tarraingt agus ag síortharraingt gur éirigh caol na lámh marbh agam agus gan faill nó faoiseamh le fáil agam. I gcionn achan tamaill scairteadh Tomás go ndéanfadh sé sealaíocht liom, agus scairtinnse:

"Fan mar tá tú nó tiontófar muid."

Ar feadh uaire mhair an géarbhach agus ansin shocair sé agus las an lá suas.

"Ó, a Rí na Glóire!" arsa mise, "bhí muid maith go leor. Sin an seanbhád is fearr a chonaic mé riamh. Ní raibh barr dúinn an t-urlár a bheith aici. Tá linn anois, ach tá eagla orm nach dtéid muid trasna an iarraidh seo. Tá mise chóir a bheith marbh. Beir ar na rámhaí agus ná déan dearmad go bhfuil tonn go fóill ann. Ná lig de do rámha a dhul domhain, agus ná caill barr na toinne nó caithfear ar chúl do chinn tú."

Bhí sé leath i ndiaidh a sé ar maidin an t-am seo. Nuair a bhí sé chóir a bheith a hocht nocht an talamh.

" Go mbeannaíthear duit, a Éire ! " arsa mise. " Níl a fhios agam cé acu sin ceann Bhinn Éadair nó Reachrainn. Is íseal liom é le bheith ina Bhinn Éadair. Ach da mba é Inis Dhún Rámha é dhéanfaidh muid port go bhfaighe muid ár scíste a dhéanamh."

Reachrainn a bhí ann agus throid muid go cruaidh, buille ar bhuille, gur bhain muid amach é. Bhí iomlán theas an lae an t-am seo ann agus shín muid muid féin ar léana agus chodlaigh muid go raibh ardtráthnóna ann.

Bhí mléach mhór ban ag snámh i mbéal an chuain thiar de ché íochtarach Bhinn Éadair agus níor shamhail siad nach bád de chuid an bhaile a chuaigh thart leo i dtrátha a ceathair a chlog agus a tháinig i dtír idir iad féin agus tráigh Mhullach Íde.

9

Amhras ar bith dá raibh orm nár chóir dom pilleadh scar mé leis an oíche sin. Bhí mé i mo luí ar mo leaba agus mé ag éisteacht leis an tsíon ag greadadh na fuinneoige agus leis an ghaoth mhór ag rúidealaigh agus ag béicigh trasna an bhaile mhóir, agus mé ag smaoineamh gur bheag an mhaith mo bhád beag dá mbínn ar bharr na farraige, an rud a bheadh ach go bé gur phill mé.

Chuaigh mé isteach an baile an lá arna mhárach, agus ar mo bhealach tháinig sé tríd mo cheann gur mhór an trua gan a bhád a thabhairt ar ais do fhear an Chalaidh Mhóir. Chuaigh mé agus cheannaigh mé stampa agus ansin scríobh mé an litir seo ag bun Thor Nelson:

Chuig an Oifigeach i mBeairic Dheilginse.

A pháistín fionn—Má tá gearán istigh agat gur goideadh an bád darb ainm *An Mhaighdean Mhara* as an Chaladh Mhór, oíche Luain an 17ú, cuir a lorg i gcuan Bhinn Éadair, ar an chladach faoi Theach Ósta Chlaremont. Scríofa ar bharr Thor Nelson, an 19ú lá de Mhí na Súilín Buí, 1933, liomsa, Mac na Míchomhairle, nach bhfulaingeann a gheasa dó a ainm a chur gos ard. Gur ba buan de Valéra!

Fuair mé faill trí bhomaite ar chlóscríobhán i dteach áirithe ar ghnách liom a bheith ag cuartaíocht ann agus phriontáil mé an litir seo gan aon duine m'fheiceáil. Chuir mé i mbocsa na hardoifige ansin í agus bhí mé ní ba sóúla ina dhiaidh.

Fuair mé airgead ina dhiaidh seo agus gan mé ag dúil go ceann fada leis. Bhí leabhar istigh ag an Ghúm agam agus shíl mé nach mbeadh aon iomrá uirthi go ceann ráithe eile. Chuir mé isteach í ar nós chuma liom, go bhfeicinn goidé a dhéanfadh siad léi. Ghlac siad í. Lena chois sin fuair mé sé phunt agus fiche de airgead a shaothraigh mé dhá bhliain roimhe sin agus a ndearnadh faillí ann.

Dar liom, rachaidh mé go hAlgiers. Tífidh mé Léigiún na Fraince agus Arabaigh dhonna as na méilte. Bhí mé dhá lá ag brionglóidigh air sin. Ach ansin smaoinigh mé go bhfágfainn mórán i mo dhiaidh ar an bhealach. Ba é an deireadh a bhí air go ndeachaigh mé go Londain. Bhí rudaí a ba mhaith liom a fheiceáil i Londain, go háirithe cuid pictiúirí Turner.

Nuair a fuair mé mé féin ar an uaigneas i Londain dar liom go raibh mé ar íochtar poill. Ach an iarraidh seo bhí mé i mo thost. Agus an rud a ba mheasa orm níor léir dom dada. Bhí cleachtadh déanta agam Baile Átha Cliath a shiúl agus ní thiocfadh liom dearmad a dhéanamh de, agus cuimhniú go raibh cuid sráideanna Londan trí huaire chomh fada. Ar an ábhar sin bhínn marbh tuirseach achan tráthnóna. Bhí an toit agus an tormán agus na tithe arda ag cur lionndubh ar m'aigne, agus nuair a bhí mé coicís ann bhí mé tuirseach de.

Ach tháinig iontas de chuid an tsaoil i mo bhealach an seal gairid sin féin. Bhí mé lá amháin ag dul thart le teach tábhairne i sráid chúil, agus dar liom go raibh tart orm agus chuaigh mé isteach. Ní raibh istigh ach triúr romham agus ba ghearr go ndeachaigh beirt acu amach.

Is cosúil go bhfuil sé de bhua ormsa go labhrann daoine a bhíos i gcruachás liom. Bhí mé ag ól mo bhuidéal leanna, gan cur chuig aon duine nó uaidh, nuair a dhruid an fear seo anall liom. Dhruid sé anall liom chomh critheaglach le luchóg a bheadh ag iarraidh ceathrú anama ar chat.

"Glac mo leathscéal as labhairt leat," ar seisean, "ach tá cuma ionraice ort."

"Is é a bhfuil a fhios agam faoi sin," arsa mise, "gur dhúirt fear as mo chondae dhúchais le Francach aon uair amháin gur thóg Éire fear ionraice amháin ar scor ar bith nuair a thóg sí mise. De thaisme a hinsíodh an scéal domsa, ach is maith liom gur bhréagnaigh mé an chaint atá sa Bhíobla a deir nach fáidh fear ar bith ina thír féin."

" Tím," ar seisean. Ansin labhair sé gos íseal: " Mise an fear a bhfuil *dope gangs* an Oileáin Úir ar a thóir."

" Is maith mar tharla ar a chéile muid," arsa mise. " Mise an fear a bhfuil Síol Éabha ar a thóir."

Ach ní raibh aird ar bith aige ormsa; bhí sé ar obair, agus ní raibh ar a intinn ach é féin a chur i mo láthair. Cá bhfuil an té nach binn leis a challán féin ? Agus go dearfa bhí scéal aisteach le hinse aige.

" Roibeard Ó Muireadhaigh is ainm dom," ar seisean. " Tógadh i nGlascú mé. Nuair a bhí mé i mo ghasúr chuaigh mé dh'obair i siopa bheag, ach ní raibh mé ach tuairim ar bhliain ann nuair a d'éirigh mé tuirseach de. Ba ghnách liom a dhul fá na céanna go minic. Bhí dúchas na farraige ionam, agus lá amháin chuir mé m'ainm síos ar shoitheach a bhí ag dul go Nua-Eabhrac.

" Nuair a tháinig an soitheach i dtír thall thréig mé í. Chuaigh mé go dtí teach ósta mairnéalach agus casadh fear ansin orm nár casadh a leithéid riamh roimhe orm. Ba é croí na féile é. Thug sé thart go tithe tábhairne agus go tithe itheacháin agus go tithe ceoil mé agus thaispeáin sé iomlán spórt an bhaile mhóir dom. Agus d'íoc sé na billí uilig.

" Bhí mise óg agus bhí cineál de eagla roimh an chineál seo orm, agus choinnigh mé greim ar mo chéill ar fad. Lá amháin dúirt sé liom gur gasúr maith críonna a bhí ionam, go raibh sé do mo choimhéad le fada agus go raibh sé ag brath posta a fháil dom a chuirfeadh maoiseoga airgid i mo bhealach. Thug sé leis mé go dtí siopa i sráid bhocht chúil agus casadh fear ansin orm a bhí an-lách liom. Dúirt sé liom go bhfaigheadh sé posta dom ar loing eile, ach nach mbeinn ina mhuinín sin, go bhfaighinn cúig chéad dollar le cois mo phá ar son achan astair. Ní bheadh agam le déanamh ach beartanna opium a thabhairt anall.

" Ba mhinic a léigh mé scéalta fán chineál seo éachtaí, agus fuair siad bua ar m'intinn. Thoiligh mé an obair a dhéanamh. Chuir siad ar bord loinge go Havre mé, agus fuair mé ordú a dhul go teach áirithe ansin go bhfaighinn an t-opium. Ní raibh moill ar bith orm a thabhairt anonn. Ní raibh sé toirteach. D'iompair mé i mo phócaí é agus thug mé isteach go dtí an siopa i Nua-Eabhrac é agus fuair mé mo chúig chéad dollar. D'oibir mé liom ar an dóigh seo agus ag deireadh na bliana bhí na mílte dollar sábhailte agam. Chuir siad ar bád ansin mé a bhí ag dul go Hamburg agus b'amhlaidh a b'fhusa dom é.

"Ach bhí cuid fear an Stáit sa tóir orainn ar fad. Ní raibh dul acu breith ar dhuine ar bith, ach fá dheireadh bhí siad chomh heolach agus go raibh siad ag meas go rabhthas ag tabhairt isteach an opium agus na ndruganna eile ar an bhád seo a bhí ag teacht as Hamburg. Bhí muid inár luí sa chuan lá amháin nuair a shín fear píosa airgid domsa a raibh trí pholl déanta air. Ba sin an comhartha go rabhthas sa tóir orm. Ní raibh ann ach go raibh an beart i bhfolach agamsa go dtáinig na hoifigigh ar bord. Chuartaigh siad an long ó bhun barr ach ní bhfuair siad dada.

"Nuair a tháinig mise i dtír hinsíodh dom go raibh sé ró-chontúirteach mé a choinneáil ar an bhád ní b'fhaide agus go gcuirfí ar an traen mé ag tabhairt an earra ó Nua-Eabharc go Chicago. Ní raibh sin deacair ach a oiread. Ní chuirfeadh aon duine iontas i bhfear ag dul ar an traen agus máilín leis. Agus bhí bua amháin agam nach raibh agam ar na báid. Ní raibh feidhm orm obair chrua a dhéanamh nó sean-éadach nó salachar a bheith orm. Bhí cóiriú duine uasail orm agus mo rogha bia agus deoch fúm. Bhí mé ceithre bliana ar an astar sin, go dtí go ndearna mé dearmad go raibh contúirt ar bith orm.

"Lá amháin i ndiaidh mo dhinnéar a ithe i gcóiste an itheacháin tháinig codladh orm. Leag mé mo cheann siar agus thit mo néall orm. Nuair a mhuscail mé bhí tinneas cinn orm. Ní dhearn mé iontas ar bith de ar feadh tamaill ach é a fhuilstean go foighdeach. Ach níl a fhios agam goidé a thug orm mo mhála a fhoscladh tamall beag ina dhiaidh sin. Fuair mé folamh é. Bhí luach dhaichead míle dollar caillte agam agus ní ligfeadh an eagla dom a éileamh.

"Thuig mé ansin an fáth a bhí leis an chodladh agus leis an tinneas cinn. Cuireadh rud éigin i mo chuid bídh. Bhí mé i ngéibheann chruaidh. Ní thiocfadh liom a dhul i láthair mo mháistrí. An fear a chaillfeadh earra ní dhéanfadh siad ach piléar a chur ann agus a bheith réidh leis. Shuigh mé ansin agus an traen ag tarraingt ar Chicago agus gan ionam lámh nó cos a bhogadh.

"Fá dheireadh nuair a chonaic mé solais na cathrach chroith mé mé féin suas agus chuaigh mé amach den traen sula ndeachaigh sí go lár an bhaile. D'fhág mé Chicago an oíche sin ar thraen eile. Níor stad mé go ndeachaigh mé thart ar an domhan. Agus níl baile a gcodlaím oíche ann nach mbím ag dúil leis an bhomaite a mothóidh mé béal piostail le mo dhroim. Tá bunús mo chuid airgid caite agus níl le déanamh agam ach éaló a fhad agus is féidir. Gheobhaidh siad lá éigin mé."

"An bhfuil a fhios agat goidé a ba chóir duit a dhéanamh?" arsa mise. "A dhul go hÉirinn."

"A dhul go hÉirinn!" ar seisean, agus shílfeá gur mhó an eagla a bhí roimh na hÉireannaigh air ná bhí roimhe lucht na ndruganna air.

"Sea," arsa mise. "Ní bheadh le déanamh agat ach a dhul i gceann de na cumainn polaitíochta. Ní bheifeá mí ann, ar ndóigh, go n-inseofaí ort go raibh tú ag láimhdeachas druganna san Oileán Úr. Ach ba chuma duit; ní chreidfeadh aon duine é. Cuirtear míchlú ar achan duine a mbíonn baint aige le polaitíocht. Mura n-instí sin ort d'inseofaí go raibh d'athair mór ag goid chearc. Ansin, dá dtigeadh tóir ar bith ón taobh thall ort, ní raibh agat le déanamh ach a dhul ar do sheachnadh. Bheadh dóigh duine uasail ort, agus gan pingin ina éiric, agus déarfainn nach bhfuil mórán fear i Chicago a dtiocfadh leo do lorg a chur.

"Da mbeirtí in Éirinn ort agus do chur i bpríosún bhí leat. Bhí tú i do cheannfort. Bheadh faichill a chraicinn féin ar an

82

té a rachadh a chur urchair ionat ansin. Bheadh lucht leanúna agat san Oileán Úr fosta. An rud a ba mheasa a thiocfadh éirí duit, an dlí do chrochadh nó do chaitheamh. Agus ansin thiocfadh na mílte chuig do thórramh agus dhéanfaí óráid os cionn do chónrach, agus bheadh cuimhne ort go mbeadh do thomba caite leis an aois."

D'amharc sé orm tamall.

" Cá bhfuil tú ag stopadh ? " ar seisean.

" Uimhir a trí, Snáthaid Chleopatra," arsa mise.

Tharla nach gcuala sé iomrá ar an tSnáthaid riamh agus chreid sé mé.

" B'fhéidir go dtabharfainn cuairt ort am éigin," ar seisean.

" Cinnte ! Tar thart amárach," arsa mise. " Agus ná buair do cheann le lucht na bpiostal. Is iomaí dóigh le duine a mharú, ón chluais go dtí an goile."

Níor bhuair mé mo cheann leis ní ba mhó. Ní thiocfadh liom cabhair a thabhairt dó. Ní ligfeadh an eagla dá námhaid maithiúnas a thabhairt dó. Ní ligfeadh an eagla dósan dearmad a dhéanamh díobhsan. Ní bhíonn mórán truaighe agam don drochdhuine a chailleas, nó tá a fhios agam dá mbíodh nach ndéanfadh sé ach mo loit.

Níorbh é a bhí do mo bhuaireamh ar scor ar bith. Bhí uaigneas ag teacht orm agus na sráideanna do mo phlúchadh. Dar liom go rachainn ar aghaidh go hAlgiers. Ach bhuail sé isteach i mo cheann mé lá amháin gur fhág mé tír i mo dhiaidh nach raibh eolas ag mórán Éireannach uirthi—an Cymru. Bhí cnoic sa tír sin, agus nuair a smaoinigh mé air sin chuir sé cumha ar mo chroí. Bhí teanga á labhairt ansin nach raibh eolas ró-leitheadach uirthi. Agus bhí sí beo; bhí sí ní ba leitheadaí ná an Ghaeilge. Nár mhéanair a gheobhaidh aithne uirthi !

Dar liom, goidé is fiú dom an ród mór leathan a shiúlas achan duine a leanstan ? Ní hé mo bhealach é. Chan ar bhealach na gcarr agus na gcabhlach a gheobhas mise mo chinniúint. Bheadh leisc ar ainbhiosán a aidmheáil go raibh sé riamh sa Bhreatain Bhig. In ainm Dé, siúil na háiteacha nach siúlann daoine eile, mura mbíodh le feiceáil agat ach tithe cearc.

Tháinig sé tríd mo cheann go gcuala mé ráite é gurbh é Learpholl ardchathair Cymru Thuaidh, agus ó tharla gurbh í an tuaisceart a ba lú Galltacht den tír chuaigh mé go Learpholl. Fuair mé amach go raibh sé chomh furast a dhul as Learpholl chun na Breataine Bige agus tá sé a dhul as Gaillimh go Conamara.

Thaitin Learpholl liom. Bíodh a bharúil féin ag achan duine, ach dar liomsa gur deise an chathair í ná Londain. Tá na sráideanna leagtha amach níos fearr, agus tá croí an bhaile chomh breá agus d'iarrfá, agus tífidh tú amharc ó bhruach na habhann i ndiaidh oíche chomh maiseach agus gheofá i gcathair ar bith.

Bhain mé fúm i dteach ósta nach raibh i bhfad ón abhainn. Chonaic mé é ar mo choiscéim, agus dar liom gur fhóir sé dom. Ní thaitníonn tithe ósta liom a bhíos ró-mhór. Ní bhíonn siad suaimhneach go leor; agus ní bhíonn siad daonna go leor. I ndiaidh an iomláin, is beag a bhíos an nead níos mó ná an t-éan; agus níor chóir do theach cónaí a bheith chomh mór agus go ndíbreoidh sé an tseascaireacht as an intinn. Tá tithe ann a ba chóir a bheith mór, teampaill nó cúirteanna, cuir i gcás. Ach don anam agus don intleacht a thógtar na tithe seo, agus chan don cholainn.

Chuaigh mé isteach agus d'ordaigh mé tráth maith bídh agus shuigh mé aige. Bhí a lán daoine sa tseomra agus iad iontach tostach. Chuir mé i gcosúlacht le tíortha eile a bhí ar m'eolas iad. I dteach itheacháin sa Fhrainc bíonn achan duine ag caint. I dteach itheacháin in Éirinn bíonn siad ina dtost, ach ní bheadh iontas ar bith ort duine ar bith labhairt leat. Ach i Sasana bíonn siad ina dtost agus ní shamhlófá choíche go labharfadh siad. I ndiaidh an méid den domhan ar chuir sé smacht air tá an Sasanach faiteach, agus b'fhéidir nach locht sin air.

Dar liom, seo Sasanaigh dáiríre. Daoine modhúla cneasta i gcosúlacht, gan cur i gcéill nó béal bán. Daoine cineál séimh, samhnasach, a gcuirfeadh focal ráscánta tiontó orla orthu. Bhí siad déanta in aon mhúnla amháin uilig fosta, ach buachaill a bhí ina shuí a chois an bhalla agus cailín bán a bhí ag tábla taobh abhus de sin. Dar liom, Éireannaigh iad sin. Bhí siad ní ba mhó agus a ngnúis ní ba fheiceálaí, agus gan cuma chomh druidte orthu leis an chuid eile. Ní hamhlaidh go bhfuil na hÉireannaigh uilig níos mó ná na Sasanaigh, ach tá siad de ghnách níos láidre sna cnámha agus níos gile sa chraiceann, agus tá dreach eile ar fad orthu.

B'fhíor dom. Ní raibh sé i bhfad go raibh an cailín bán agus an buachaill ag comhrá le chéile. Dar leat gur dráma a bhí siad a dhéanamh. Thug mé fá dear go labhrann Éireannaigh ar an dóigh sin nuair a bhíos siad as baile; creidim go ndéan achan dream a bheagán nó a mhórán de. Bhí an domhan le rá ag an chailín seo; d'aithneofá uirthi go raibh beogacht mhór ina hintinn agus nach raibh an chuid a ba chruaidhe den chiall aici. Duine acu seo, dar liom, a gheibh eolas ar gach uile chineál daoine an áit nach labharfadh duine eile le baistíoch. Bean álainn a bhí inti, go dearfa, agus gan faitíos nó faichill inti.

Níorbh fhada gur thiontaigh sí ormsa:

" Tá cuma uaigneach ansin ort," ar sise.

" Ní fhaca mé aon taibhse, maise," arsa mise, "mura dtiocfadh taibhse a thabhairt ar spéirbhean mar chastaí ar na filí ina gcuid aislingí fada ó shin."

" As Éirinn thú ? " ar sise.

" Tá mé chomh Gaelach le huisce na Bóinne," arsa mise.

" As an taobh thuaidh mé féin," ar sise. " As Doire mé."

" Comharsa bhéal dorais dom thú, mar sin de," arsa mise.

Ní mó ná go dtig liom an comhrá a rinne muid a aithris. Ach roimh cheathrú uaire bhí mise ag léamh a láimhe agus ní raibh a fhios ag ceachtar againn go raibh Learpholl ar bith ann.

Is cuma cé acu, lean sí dom. Níor fhan mise i mbun aon mhná riamh níos mó ná mí, ach chan fhágann siη nach dtaitníonn siad liom an uair nach bhfuil mórán ar m'intinn. Ní dóigh liom gur fíor go bhfuil filí tugtha do mhná. Ní bheadh foighid ag file agus ag mnaoi a bheith trí mhí i gcuideachta a chéile. Is iad na fir a bhíos ag baint na súl astu féin ag saothrú airgid is mó a mbíonn urraim do mhná acu. Ach cionn is gurbh iad na filí a ba bhinne a d'inis a scéal ar na mná cuireadh míchlú orthu:

Cé nach labhraim bím ag meabhrú go mór fá mo chroí,
Is tú mo chéadsearc agus ní féidir mo chumha a chloí.

Ar scor ar bith, bhí mise sciobtha leis an bhruinneall seo. Agus ba chuma sin ach bhí fear eile ag tnúth liom—Gréagach óg as tír Helen a thug léarscrios ar aicme na **Traoi**. Dúirt sí go raibh sí sa teach ósta seo le seachtain agus go mbíodh an Gréagach ag comhrá léi agus ag iarraidh a inse di i mBéarla bhriste gur thaitin cailíní na hÉireann leis, agus ise go háirithe. Ach ó tháinig mise ní tháinig sé dá comhair; is dóigh liom gur thuig an duine bocht nach dár gcaoirigh é.

Ach ní raibh fear an tí chomh furast sin a chur ó dhoras, agus chan grá ar bith a bhí á bhuaireamhsan. Bhí sé lách, cineálta, ach ní thaobhfadh an t-amadán a ba mhó a shiúil riamh dada leis i ndiaidh amharc amháin a fháil air. Fear caol, ard, dubh a bhí ann agus aghaidh neamhshuimiúil air, go háirithe liobar íochtarach crochta mar bheadh beathach allta a bheadh ag brath greim a bhaint asat. Rinne sé mór liomsa chomh maith le duine. Thug sé suas an staighre muid go dtí seomra an tsuíocháin. Is cuimhin liom go raibh claíomh agus baignéid ina luí ar an teallach, an áit a mbíonn an maide briste agus bior na tine. Bheir mé féin orthu agus bhreathnaigh mé iad. Baignéid Fhrancach agus claíomh Gearmánach a bhí iontu.

" Dar leat go raibh sé sa chogadh mhór," arsa mise.

" Bhí," ar sise, " agus bhain sé amach iad sin i gcomhrac."

" Tá a fhios agam gur bhain ! " arsa mise. " Ghoid sé iad, má tá eolas ar bith ar nádúir dhaonna agamsa."

" Maise fear deas atá ann." ar sise. " Bhí sé iontach lách liomsa. Níl dúil ar bith ina mhnaoi agam, ach thug sé féin aníos tae chugam inné agus bhí sé ag iarraidh orm mo chuid airgid a thabhairt dó agus go gcuirfeadh sé i dtaisce i mbocsa dom é."

" Ní hé mo mheas go bhfuil dochar sa tae," arsa mise; "ach dá mbínn i d'áit choinneoinn súil chruaidh ar an airgead."

" Fear dícheallach atá ann," ar sise, ag tógáil maide as uisce dó. " Ní raibh ann aon uair amháin ach tiománaí, agus cheannaigh sé an teach seo."

" Má gheibh sé mórán daoine lena gcuid airgid a chur i dtaisce sa bhocsa," arsa mise, " is gairid go gceannaí sé leath an bhaile mhóir."

Nuair a dúirt mé seo tháinig sé isteach, agus chuaigh muid a chomhrá.

" Taitníonn an baile seo liom," arsa mise. " Níl sé callánach ar dhóigh ar bith."

" Níl," ar seisean go tuigseach. " Achan duine ar a shuaimhneas, go fuar socair. Seo anois ceann de na sráideanna is mó ann."

" Tím ainmneacha Gaelacha go leor ar na siopaí," arsa mise.

" Ó, tá céad go leith míle Éireannach," ar seisean, "ar an bhaile seo. Goidé mar tá gnoithe na hÉireann ? "

" Tá Éire suaimhneach go leor," arsa mise, " taobh amuigh de na páipéir."

" Creidim gur sin an fhírinne," ar seisean.

Níl a fhios agam goidé a thug orm an comhrá sin a tharraingt orm, nó ní gnách liom trácht le Sasanach ar an tsean-achrann sin ar chuir Strangbó tús air. Ach bhí sé breá céillí ina dhearcadh.

Thoisigh an cailín a mhilleadh na ngnoithe orainn, b'fhéidir cionn is nach raibh a sáith den chomhrá aici.

" Bímse ag magadh air fán hata atá air," ar sise.

Bhí hata glas orm féin a cheannaigh mé i mBaile Átha Cliath. Ba de fhaisean na bliana é. Ach ní raibh a fhios agam cé acu a shílfeadh Sasanach gur comhartha Gaeltachta agus cogaidh hata glas nó nach sílfeadh. Ach beir ar mo dhuine a bheith chomh hamaideach.

"Sin hata maith," ar seisean; "faighimse mo chuid hataí ón dream chéanna."

Dar liom féin, tá tú múinte ar scor ar bith, agus ina dhiaidh sin níor mhaith liom mo chuid airgid a chur i do bhocsa.

Chuaigh sé síos chun an tsiopa ar ball beag.

"Goidé do bharúil de? " ar sise.

"Fear é a thaitneodh liom," arsa mise, " dá mbíodh an saol mar ba chóir dó a bheith. Tá tallann maith ann, ach tá sé chomh cliste le diabhail Ifrinn, agus shuífeadh sé i do bhun a fhad agus bheifeá ag ceangal do bhróige. De bhochta an bhaile mhóir é, ach níor bheir an t-anró riamh air. Déarfainn go raibh sé sa chogadh ceart go leor agus go raibh sé ina shaighdiúir mhaith. Tá neart uchtaí aige. Ach tá sé ró-shantach agus tá achrann an tsaoil ró-chruaidh le ionracas nó fírinne ar bith a bheith ann."

"Sin mo bharúilse fosta," ar sise, " ach nár lig mé dada orm. Tá rud éigin fán teach seo nach bhfuil sona."

Tháinig tachrán girsí isteach ansin agus pisín cait léi, agus thoisigh sí a thaispeáint an chait don chailín. Amach as lár an chomhrá dúirt sí:

"Ní raibh m'athair ach ag déanamh grinn nuair a d'iarr sé ort an t-airgead a chur sa bhocsa! "

Baineadh léim asam. Ní thig léamh ar chéill páistí. Dar liom féin, sin seancheann agat.

Ar ball beag chuaigh mé féin agus an cailín amach chuig na pictiúirí, agus nuair a bhí muid ag pilleadh tharraing sí an comhrá ar fhear an tí arís.

"Bíonn sé ag obair i seomra bheag thuas an staighre," ar sise. " Cineál de oifig. Téid na lóistéirí tríd ag teacht anuas as a gcuid seomraí. Tá gléas priontála de chineál éigin aige a mbíonn sé ag obair leis."

"Ó! " arsa mise. " An dara huair a bheas tú ag dul tríd breathnaigh go maith é."

Nuair a bhí mé ag fáil mo chuid tae tháinig sí chugam agus shuigh sí ag an tábla.

"Tháinig mé air ag obair leis an uirlis," ar sise. " Cuireann sé giota de pháipéar isteach ann agus tig sé amach ina nóta dheich scillinge."

" Sheacht mh'anam thú," arsa mise, "rinne tú obair a sháraigh ar arm an rí. Tím a chleas anois. Cuireann sé na nótaí sin lena chuid custaiméirí achan uair dá mbíonn fail aige. Cibé a chonaic iad, is iomaí duine a chuir sé chun siúil agus pócaí amaideacha leis."

" Ba cheart oifigigh an dlí a chur ina dhiaidh," ar sise.

" Níl a fhios agam," arsa mise. " Is é a ngnoithesean breith air, agus ní hé ár ngnoitheinne. Níl olc ar bith agam dó. Chan gan uchtach a ní fear a leithéid sin. Agus tá soineantacht éigin san fhear a ní rógaireacht den tsórt sin a ní scéala air. Is dóiche go raibh sé ionraice i dtús a shaoil; de ghnách tosaíonn a leithéidí go hionraice. Tá formhór an tsaoil i bhfad ró-urchóideach le airgead a dhéanamh ar an dóigh sin. An chéad rud a thug le tuigbheáil domsa go raibh léaró beag fearúlachta agus daonnachta ann, nach raibh barúlacha láidre aige. Bí ar d'fhaichill ar an té a bhfuil barraíocht den mhaith ann, nó gheobhaidh tú fios lá éigin nach bhfuil ina chuid maithis ach saint. Fear gan urchóid an fear a dtig leis focal amháin den fhírinne a inse. Ach tá fir ann nach dtig leo an fhírinne a inse—tá, agus cuid acu a dheas don chnámh agam féin. Seo an dóigh a n-aithneoidh tú iad i gcónaí; bíonn scoith na clú orthu. Mholfainn duit an fear seo a ligean lena olc féin. Céasadh an Slánaitheoir idir dhá ghadaí, agus dá bhfanadh Sé go gcéastaí idir fir ionraice É b'fhéidir go mbeadh Sé ar an tsaol seo go fóill."

D'fhág muid araon an teach an lá arna mhárach, mise ag dul chun na Breataine Bige agus an cailín ag dul go lóistín eile. Bhí sise ag cuartú oibre; go dearfa, bhí obair aici an t-am sin agus bhí sí ag fanacht le scéala toiseacht. Bhí dóigh aici di féin le obair a fháil. Shiúil sí isteach chuig an fhear cinn a bhí ar shiopa chomh mór agus bhí sa chathair agus chuir i leataobh achan duine dá dtáinig ina bealach. Labhair sí leis agus, sula raibh sí réidh leis, thug sé obair di i ndiaidh daoine a bhí ag obair aige a chur chun siúil an tseachtain roimhe sin.

Cailín iontach a bhí inti. Bhí measarthacht de mhaoin an tsaoil ag a muintir agus chuir siad chuig an chuid ab fhearr de na scoltacha í. Ach níor fhoghlaim sí dada. Bhí rudaí áirithe a tháinig go furast léi ó nádúir, ach ní thiocfadh a dhath eile a chur ina ceann. Fuair a hathair agus a máthair bás go hóg agus thóg daoine muinteartha í. Nuair a tháinig sí i méadaíocht throid sí leis na daoine muinteartha as a bheith ag suí ina bun. D'imigh sí agus d'fhág sí iad agus bhí sí ag obair ar fud na hÉireann na blianta ina dhiaidh sin. Bhí sí i mBéal Feirste fá Shamhain, 1932, nuair a thóg na bochta an troid. Bhí sí ag obair i dteach ósta agus thoisigh sí agus bhris sí a raibh de shoithigh agus de thrioc sa teach nuair a thoisigh an racán. Tháinig sí ansin go Baile Átha Cliath, agus d'aidmhigh sí tríd an chomhrá dom go dtug Baile Átha Cliath a sáith di. Dúirt sí liom dá mbíodh muintir Bhéal Feirste chomh bithiúnta le muintir Bhaile Átha Cliath go mbeadh Baile Átha Cliath ina bhallóga fada ó shin. Bíodh a bharúil féin ag achan duine, mar dúirt mé cheana féin. Ach fuair sí obair i mBaile Átha Cliath, fosta, agus d'éirigh sí tuirseach di agus chuaigh sí go Sasain.

D'fhág mise slán agus beannacht aici. Ach is iomaí uair ina dhiaidh sin a smaoinigh mé ar Mhacha Mhongrua, nó ba sin an t-ainm a thug mé uirthi. Níl amhras ar bith nó bhí cuid de na buanna aici a bhí ag an bhanlaoch a chuir Clann Diotharba fá dhaoirse agus a rinne dún mór na hEamhna fada ó shin.

Chuaigh mé siar chun na Breataine Bige ansin agus shiúil mé páirt mhór den tír. D'inis mé i leabhar eile an aithne a fuair mé ar an tír bheag aisteach seo atá i bhfad siar as bealach na ndaoine, agus ar an dream daoine atá níos sine ná na Rómhánaigh, agus ní thráchtfaidh mé anois air.

11

Teacht an gheimhridh casadh i gCaerdydd mé, thíos ar chladach Mhorgannwg, an áit a mbaintear an gual. Cé go raibh an baile seo ar an phort guail a ba mhó ar an domhan roimh an chogadh mhór, agus go bhfuil a lán guail ag dul tríd go fóill, is beag atá sé de chuma air. Baile de shiopaí maithe atá ann, baile airgid agus saoltachta. Níl aon mhian dá bhfuil ag an duine, céillí nó díchéillí, nach ndéantar pingneacha uirthi. Tífidh tú lucht léamh fortún agus oifigí acu sna sráideanna is breátha ar an bhaile. Bhí neart fairsingí agamsa i mBaile Átha Cliath nuair a bhí mé i mo Eli Ben Alim, ach ar an bhaile seo ní bheinn ach ag briseadh mo chroí ag coimhlint le daoine a raibh seascaireacht déanta cheana féin acu, agus b'fhéidir saibhreas. Tá carda fir acu i mo phóca san am i láthair agus an scríbhinn seo a leanas priontáilte go measúil air:

DR. ROBERT SCOTT-McGLADE,
Professional Psychologist

Tá sráid i gCaerdydd a bhfuil a oiread búistéirí inti agus go gcuireann siad "ceant" ar an fheoil. Ach ní raibh dada a ba nimhní ormsa ná siopaí na leabhar. Bhí gnás mór agamsa a dhul isteach i siopaí leabhar i mBaile Átha Cliath agus uaireanta a chaitheamh ansin ag léamh. Ach nuair a d'fhéach mé leis sin a dhéanamh i siopaí Chaerdydd tháinig siad a chur forráin orm, agus bhánaigh mé liom ar eagla go ndíolfadh siad a raibh sa tsiopa liom. Níor chóir do fhear a bheith ag díol leabhar nach bhfuil tuigse ar leabhair aige. Is cóir a inse anseo go raibh siopa de leabhair Bhreathnaise ann nach raibh chomh craosach sin.

Bhí daoine as ceithre hairde an domhain ina gcónaí sa

chathair. Casadh orm an Sasanach daingean, dea-bhéasach, agus an Breathnach tobann taodach, agus an tAlbanach teann bogchroíoch, agus an tÉireannach garbh dána; an Francach céillí intleachtach, agus an tIodálach beo fiata, agus an Gréagach atá idir an dá chás; an fear buí mín dothuigthe, agus an fear dubh sochmaí gruama. Bhí teampaill den uile chreideamh ann. Is cuimhin liom lá a chuaigh mé isteach i dteampall Ghréagach go bhfeicinn cá leis a raibh sé cosúil. Bhí na ballaí daite go maisiúil agus an altóir i lár an tí, má b'altóir a bhí inti, nó ba chosúla í le bord taoibhe i seomra itheacháin. Chonaic mé daoine ag teacht isteach agus á gcoisreacadh féin thart ar na mailíocha agus ar na guaillí agus achan áit ón chom suas, agus ag cromadh isteach os cionn an bhord taoibhe agus ag pógadh deilbh airgid agus á gcoisreacadh féin arís. Daoine eile a bhí ina suí in aice an bhalla. Bhí an teampall cosúil le teach a mbeadh a cheann ina lár; níor bhain mé aon chuid mhór tuigse as.

Ach ag caint ar thithe creidimh, ní raibh mé in aon cheann ab éagsamhalta ná teampall taibhseoireachta. Is dóigh liom go dtuigeann formhór na ndaoine go bhfuil cuid mhór i Sasain a chreideas go dtig leo caidreamh a dhéanamh le taibhsí na marbh. Chan dóchas ar bith atá sa chineál sin pisreog agamsa, nó dá mbíodh ba leor an seanfhocal le mo chur ar m'fhaichill: Ná bain le geis agus ní bhainfidh geis díot . Ach tháinig bean lóistín thart orm. B'éigean dom, ar ndóigh, a bheagán nó a mhórán cainte a dhéanamh léi agus thoisigh sí ar an taibhseoireacht sular mhothaigh mé cá raibh mé. Bá ghnách le fear mór dearg de chuid fear dúchasach an Oileáin Úir a theacht chuici le teachtaireacht ón tsaol eile. Dúirt sí go raibh sí cinnte go raibh an bhua agamsa caidreamh na spiorad a tharraingt orm agus gur chóir dom a theacht go teampall spiorad a bhí ar an bhaile mhór. Dar liom féin, b'fhéidir go mb'fhiú a dhul, mura mbíodh de thoradh air ach biseach beag a theacht ar an chócaireacht le linn mé do shásamh. Shiúil mé amach léi chomh béasach le ridire; bhí sí chomh toirteach le bairille agus í ag tarraingt ar leathchéad bliain.

Chuaigh muid isteach i halla bheag a bhí boglán de dhaoine. Chuaigh an bhean a bhí mise a ghiollacht anonn go dtí orgán agus chuaigh sí a bhualadh air, agus thoisigh siad uilig ar dhuan:

> God send the power just now,
> And thy children they will come
> To carry the tidings home,
> God send the power just now !

Nuair a bhí siad réidh leis an cheol d'éirigh cailleach de mhnaoi dhuibh a raibh dreach uirthi cosúil le bean a mbeadh draíocht aici go dearfa, agus léigh sí píosa den Bhíobla. Ansin cuireadh na solais as. Níor léir dom dada sa tseomra ach toirteanna sa mharbhsholas a bhí ag teacht ón tsráid. Bhí suaimhneas ar gach taobh díom; dar liom go gcuala mé duine éigin ag osnáil chomh híseal agus nach mó ná go gcluinfeadh cluas shaolta é.

Ansin labhair an bhansíogaí dhubh chasta:

"Tá teachtaireacht agam duitse," ar sise, ag síneadh a méir chuig duine a bhí taobh thall díom. "Tá an spiorad a d'imigh uain fá Shamhain ag iarraidh ort gan buaireamh a bheith ort, nó imní fán bhliain seo chugainn. Deir sé go mbeidh tú ag dul go Londain sa tsamhradh, agus gur chóir duit gan dearmad a dhéanamh a dhul chuig duine atá ina chónaí ina leithéid seo de shráid. Inseoidh sé ainm an tí agus ainm an duine duit nuair a labharfas sé leis an duine sin. Níl aithne ar bith agaibh ar a chéile san am i láthair, agus beidh roimh thrí seachtainí."

Thug sí teachtaireachtaí thall agus abhus do dhaoine ar fud an tí, agus fá dheireadh shuigh sí síos. Ansin d'éirigh fear dubh a bhí ag mo thaobhsa. Thug mé fá dear an fear dubh seo i ndiaidh a theacht isteach. Buachaill séimh i gcosúlacht a bhí ann agus measarthacht airde ann, agus guaillí leathna air mar is dual dá dhream agus corp éadrom scaoilte. I ndiaidh mé a theacht isteach d'éirigh sé a fhoscladh an dorais do dhuine éigin. Thug fear bán iarraidh suí ina áit ach sciob mise an chathaoir. Thug an bodach a aghaidh ormsa ansin, ach dúirt mise mionna mór Éireannach go leathíseal agus scanraigh sé. Thug mé a chathaoir don fhear dubh arís agus bhí sé iontach buíoch dom. Bhí a oiread uafáis ar an duine bhocht as fear bán caiúlacht a thaispeáint dó agus nach raibh a fhios aige cá raibh sé ina shuí nó ina sheasamh.

Ach nuair a d'éirigh sé thug sé le fios don chuideachta go raibh cumhachtaí duairce aige nach raibh ag mórán. Tháinig oibriú ar a raibh sa teach nuair a thoisigh sé. Níorbh fheasach domsa goidé a bhí in intinn na ndaoine a dtug sé teachtaireacht dóibh, ach d'aithneoinn orthu go raibh sé ag bualadh an tairne le achan uile bhuille. Bhí fuaim éagsamhalta ag an ghlór dhomhain bhrónach a bhí aige sa tseomra dhorcha sin. Le sin labhraidh sé liomsa:

" Ní hionann tusa agus na daoine eile atá anseo anocht. Tá d'intinn ar rúdaí eile agus siúlann tú bealach eile. Tím siúl fada uaigneach romhat sula bhfága tú an tír. Tá tú ag obair le páipéir san am i láthair, ag scríobh leabhair. Chuir tú leabhar chuig daoine éigin agus tá sí idir chamánaibh, fear ina leith agus triúr ina haghaidh. Ach ní hí an leabhar sin a chuirfeas ar do chosa tú, nó an dara leabhar a scríobhfas tú, ach an tríú ceann."

Is beag nár chreid mé sa taibhseoireacht ina dhiaidh sin. Ní raibh aithne nó eolas aige orm, ní raibh cleachtadh aige ar shaol scríbhneoirí, agus ina dhiaidh sin bhí gach ar inis sé dom fíor. Go dearfa, is í an tríú leabhar, an leabhar a dúirt sé a chuirfeadh ar mo chosa mé, atá mé a scríobh san am i láthair.

Nuair a bhí deireadh leis an draíocht agus na daoine ag dul chun an bhaile chuaigh mé go dtí é agus chuaigh mé chun comhrá leis. Shiúil muid síos an tsráid le chéile agus d'inis sé dom a bheagán nó a mhórán fána shaol. Tógadh sna hIndiacha Thiar é, agus bhí sé tamall ar an Oileán Úr, agus ansin tháinig sé anall go Sasain agus bhí sé i gCaerdydd le bliain nó dhó, beo ar an airgead a bhí an stát a thabhairt do fhir a bhí as obair. Mac Mhaitiú ab ainm dó. D'iarr mé air a theacht a dh'airneál chugam an chéad oíche a bheadh sé saor. Dúirt sé go dtiocfadh sé an oíche arna mhárach. Creidim gur shíl an duine bocht go raibh an t-ádh agus an éifeacht i ndán dó, Hobair dó, ach is leor an méid sin ina am féin.

Tháinig sé an oíche arna mhárach agus rinne muid oíche mhór chomhrá. Ba sin an chéad aithne a fuair mé ar fhear dubh agus ní fhuair mé drochbharúil den dream ar chor ar bith lena linn. Bhí sé séimh, nádúrtha, múinte, agus ciall do ghreann aige, agus intleacht ghéar aige agus bua ar leith ag léamh intinn daoine. D'inis sé scéal a shaoil dom.

" Rugadh mé sna hIndiacha Thiar. Fear bán a bhí i m'athair. Nuair a cuireadh chun na scoile mé ba mé an gasúr ab fhearr ar an scoil. Lá amháin tháinig cigire thart. Labhair sé liom agus dúirt sé go raibh mé an-chliste. ' Ach goidé an mhaith sin duit ? ' ar seisean. ' Ní bhfaighidh tú a dhath a choíche dá thairbhe. Bhí sé chomh maith agat fanacht sa bhaile. Tá tú dubh agus coinneofar i ndaoirse thú.'

" Nuair a chuaigh mé féin chun an bhaile rith mé chuig m'athair. ' Goidé an diabhal a thug ort mo mháthair a phósadh ? ' arsa mise. D'amharc sé orm. ' Tá, a rún, an saol,' ar seisean. ' Nach bhfuil a fhios agat go bhfuil meas agam ar do mháthair ? ' ' Dúirt an cigire liomsa inniu,' arsa mise, ' nach raibh a dhath i ndán dom a choíche cionn is mé a bheith dubh, agus dá mbítheá thusa gan mo mháthair a phósadh ní bheinn dubh.' ' Drochbhláth air ! ' arsa m'athair. ' Nach mór an croí fuair sé beaguchtach a chur ar mo mhacsa ?' Chuir sé fá choinne an chigire agus bhí siad iontach garbh le chéile. Chuaigh m'athair a fhad agus gur chnag sé le dorn é. Bhí mise ag amharc orthu agus níor labhair mé ar chor ar bith. Bhí mise dubh agus bhí siadsan bán agus d'fhág mé eatarthu féin é.

" Nuair a d'fhág mé an scoil fuair mé obair i siopa mótar. Bhí mé ag obair ansin go maslach agus gan agam ach trí pingne sa lá. Fá dheireadh d'fhág mé é agus chuaigh mé anonn chun an Oileáin Úir. Chonaic mé an bhail tugtha ar mo dhaoine ansin a thug orm smaoineamh go minic nach raibh Dia ar bith ann.

"Dá n-insínn duit achan áit dár shiúil mé sula dtáinig mé anall go Caerdydd bhéinn ag caint go ceann seachtaine. Agus níl aon áit dar shiúil mé nach bhfuair mé mo dhaoine faoi smacht, agus drochmheas orthu, agus gan a fhios againn cén fáth. Tá seandaoine sa bhaile ar chuimhin leo an t-am a dtiocfadh fear dubh a cheannach ar phingin. Níl mórán de luach go fóill orainn.

"Deir siad go bhfuil muid fiáin. Ní siad dearmad ar an Éigipt, an náisiún is sine ar an domhan. Níl cuimhne acu goidé an dath craicinn a bhí ar Íosa Críost, ach má bhí Sé cosúil leis na daoine a dtáinig Sé chun tsaoil seo ina measc ní raibh Sé ró-bhán.

"Rinne muid ár gcuid den troid sa Chogadh Mhór. Dhoirt muid ár gcuid fola ina tuilteacha agus níl buíochas ar bith orainn dá thairbhe. Gheobhaidh fear bán deich scillinge sa tseachtain sa chathair seo, má tá sé in anás, agus ní bhfaighidh fear dubh níos mó ná ocht scillinge. Níl agamsa mé féin ach sé scillinge."

"An bhfuil uchtach ar bith ag na Daoine Dubha go mbainfidh siad a gceart amach gan mhoill ?" arsa mise.

"Tá ceannfort anois orainn," ar seisean, "atá ag iarraidh fir dhubha an domhain a thabhairt ar ghualainn a chéile. Mad Garvey is ainm dó, agus ní feasach do dhuine ar bith cér díobh é nó carb as é."

"Níl a fhios agam," arsa mise, "an mbeadh fáilte ar bith roimh fhear bhán agaibh ? Sé a bhfuil de bhua agamsa go bhfuil mé níos gile i gcraiceann ná bunús na bhfear bán. Tháinig mise ó dhream daoine a d'fhulaing seacht gcéad bliain de chogadh agus de ghorta agus de ghéarleanúint ar son na saoirse, go dtí go bhfuiar muid sa deireadh é, nó go bhfuil sé ar shéala a bheith againn. Bíonn trua againn don té atá i gcruachás. Cinnte chuala tú iomrá ar na hÉireannaigh, an dream a bhíos ag troid i gcónaí, achan áit dá mbíonn siad, agus a ndearnadh ní ba mhó éagóra orthu ná an dara dream san Eoraip."

"Chuala, leoga," ar seisean. "Agus más mian leat

bhéarfaidh mé chuig cruinniú thú a mbeidh fir dhubha as gach uile chearn ar an domhan aige."

"Bheadh mo sháith de lúcháir orm," arsa mise.

D'imigh sé, agus an lá arna mhárach chuaigh mé féin go dtí an leabharlann go bhfaighinn leabhair a bhí ag trácht ar na ciníocha dubha. Chaith mé coicís ag léamh, agus bhí an scéal chomh gránna agus go raibh náire orm a bheith i mo fhear bhán, agus gur aidmhigh mé nach raibh in éagóir mo thíre féin ach mar bhos a bhuailfí ar pháiste lena thaobh.

Nuair a chuaigh na Spáinnigh agus dreamanna eile daoine as an Eoraip chun an Oileáin Úir ar tús ní raibh siad a oiread ann agus go dtiocfadh leo na tailte sárleitheadacha sin a oibriú. Ní oibreodh na fir dhearga dóibh. Ba iad a námhaid iad agus throid siad go cróga leo, agus ní mó ná go bhfuil deireadh leis an chogadh sin go fóill. Ach fuair na hEorpaigh dóigh eile air. Lá amháin, sa bhliain 1600, tháinig long i dtír ar chladach na hAfraice agus rinne siad slad ar dhaoine na háite agus thug leo lasta loinge acu ina bpríosúnaigh chun an Oileáin Úir agus dhíol iad. Ní raibh lá loicht ar na daoine dubha. Bhí siad ag saothrú a mbeatha mar bhíos an saol mór. Ní raibh siad fiáin nó náimhdeach. Rinne muintir na hAfraice a gcuid féin de obair an chine dhaonna; rud amháin a rinne siad, cuid mhór mianaigh a bhaint as an talamh. Dá mbíodh siad fiáin ní dóiche go mbeadh aon chuid mhór úsáide leo ar an Oileán Úr. Ní raibh de locht orthu ach go raibh siad dubh coimhthíoch. Ní raibh de locht orthu ach nach raibh aithne orthu.

Ar feadh chéadta bliain ina dhiaidh sin mhair an obair seo. Tugadh na céadta mílte agus na milliúin de dhaoine dubha trasna na farraige móire agus díoladh iad. Bhíodh siad sa mhullach ar a chéile thíos i mbolg na long, agus gheibheadh mórán acu bás ar an bhealach. An chuid a théadh slán ní raibh siad mórán ní b'fhearr leis. Ní raibh i ndán dóibh ach an obair agus an sciúirse agus an díolachán agus an drochmheas. Tugadh a saoirse do na daoine dubha a bhí faoi Shasain tá céad bliain ó shin, agus do chuid na Stát Aontaithe deich mbliana fichead ní ba mhaille ná sin. Ach má tugadh níor tugadh. hAidmhíodh gur daoine iad agus nach beathaigh bhrúidiúla iad. Lá saoirse ní bheidh acu go dtiontaí siad ar an dream bhán, agus b'fhéidir ansin go mbeadh aithreachas ar na daoine bána sula mbeadh deireadh thart.

Níl cuid ar bith den scéal is iontaí ná rud a tharla sna hIndiacha Thiar. Cruthaíodh ansin go raibh na fir dhubha ina bhfir chomh héifeachtach leis an dream a bhí á ndíol agus á gceannach. Bhí Oileán Haiti ag na Francaigh go dtí go dtáinig an teacht thart sa bhliain 1789. Tharla fear ar an oileán an t-am sin darbh ainm Toussaint L'Ouverture. Bhailigh sé na daoir agus chuir sé fíoch agus fearúlacht iontu go ndearn sé saighdiúirí díobh, agus bhuail sé marascal de chuid Napoleon agus bhain sé an t-oileán den Fhrainc. Ba sin gníomh chomh héifeachtach agus rinneadh riamh. Tháinig fear ina dhiaidh darbh ainm Jean Christophe, an fear a dtugtar Napoleon Dubh air. Níl clú níos tréamánta ar aon fhear dar mhair riamh. Bhí sé ag dúil i gcónaí go dtiocfadh na Francaigh ar ais, agus a gheall ar a bheith réidh fána gcoinne rinne sé dún mór. Tá an dún sin le feiceáil inniu ar an chnoc is airde ar an oileán, cnoc atá os cionn cheithre mhíle troigh ar airde. Tá, agus beidh sé ansin go ceann mhílte bliain, nó tá an obair chloiche ann is daingne a rinneadh ó thóg ríthe na hÉigipte na leachtaí móra a mbíonn an saol mór ag déanamh iontais díobh. Tá trí chéad de na gunnaí móra a chuir sé ar bhallaí an dúin ina luí ansin go fóill.

Tá scéalta aisteacha ar an dóigh a ndearn sé an dún. Deirtear gur chuir sé chun báis na saoir uilig nuair a bhí sé déanta. Deirtear gur ghnách leis a chuid príosúnach a chaitheamh ón bhalla síos binn a bhí mhíle troigh ar airde. Deirtear go raibh sé lá amháin ag teacht thart agus go bhfaca sé céad fear ag coraíocht le carraig mhór cloiche, ag iarraidh a tabhairt suas an cnoc agus a cur sa chaisleán. Ní raibh dul acu a bogadh.

" Caithigí fear as achan cheathrar," ar seisean lena gharda, " agus tógfaidh siad ansin í."

Caitheadh cúig claigne fichead. Ach i ndiaidh an iomláin ní tháinig leis an méid a bhí fágtha biongadh a bhaint as an chloch.

"Caithigí cúig claigne fichead eile," ar seisean. "Déanaidh leathchéad é."

Caitheadh cúig claigne fichead eile agus thug an leathchéad suas an chloch.

Nuair a buaileadh Napoleon agus cuireadh go St. Helena é bhí an dú-dhrochmheas ag Christophe air as a bheith beo i ndiaidh na díomua. Deireadh sé i dtólamh nach mairfeadh seisean i ndiaidh a bhuailte, dá dtigeadh an lá sin a choíche, agus go dearfa chuir sé lena fhocal. Nuair a bhí sé ag dul anonn i mblianta tháinig ulpóg thinnis air. Rinne sé forlíonadh air féin le biotáilte, ag iarraidh an aicíd a mharú, agus d'éirigh leis cúl beag a chur uirthi. Bhí sé ina shuí nuair a tháinig an scéala chuige go raibh na daoine ag tiontó ina aghaidh agus go raibh siad ag scrios a chuid páirceanna arbhair ag bun an chaisleáin. Bheir sé ar piostal agus chaith sé é féin.

B'fhéidir nach bhfuil na scéalta a instear air uilig fíora ach níl amhras ar bith ná bhí sé ar fhear chomh hiontach agu, mhair riamh. Bhí m'intinnse seal fada ar na hIndiachs Thiar dá thairbhe. Dar liom go bhféadfadh na ciníocha dubha obair mhór a dhéanamh ar an domhan dá mbíodh a gceann lea aon uair amháin. Dá n-éiríodh liom a bheith i mo rí ar no hIndiacha Thiar d'fhéadfainn boc a thabhairt don domhan. Nach mb'fhéidir go dtiocfadh an lá a bpillfinn go hÉirinn agus garda dubh liom a chuirfeadh smacht ar mo thír dhúchais agus a chuirfeadh ciall ina clann?

Chuaigh mé chuig an chruinniú úd ar thrácht Mac Mhaitiú air. Bhí fir ann a raibh achan dath orthu, ó dhath an ghuail go dath dhuilliúr na Samhna, fir as an Afraic agus as an Astráil, agus as iomlán chuid oileán na Mara Móire agus na Mara Ciúine. Labhair mé leo. Mhol mé a sinsir; thrácht mé ar na ríthe a bhí ina chodladh faoi leachtaí na hÉigipte; thrácht mé ar chrógacht na hAibisíne agus ar na héachtaí a rinne Cetauaio san Afraic Theas. Thug mé ina gceann Toussaint

L'Ouverture agus Napoleon Dubh. Dúirt mé go raibh sinsir ar a gcúl chomh héifeachtach le dream ar bith daoine. D'iarr mé orthu teannadh orthu agus an fear bán a thiomáint ar ais chun na dtíortha fuara a fágadh mar oidhreacht aige. D'éist iad go hiontach liom, agus dar liom an oíche sin mb'fhurast leo rí a dhéanamh díom dá mba mhian liom é.

Chuir muid foireann comhairle ar bun i ndiaidh an chruinnithe. Ba mise an ceann feadhna agus Mac Mhaitiú an cléireach rúin. Bhí deich gclaigne eile againn a bhí ag labhairt ar son na gciníoch. Dúirt mise go mbeadh long a dhíth orainn agus dhá chéad fear a bheadh ina n-oifigigh, agus go mbeadh airgead a dhíth orainn a choinneodh ar ár gcosa muid go ceann míosa nó mar sin. Thug muid orduithe an t-airgead a thógáil i gCaerdydd chomh tiubh géar agus b'fhéidir. Rinne muid amach go mbeadh cruinniú eile againn an tseachtain ina dhiaidh sin.

Chuaigh mé chun an bhaile an oíche sin agus m'aigne in airde sna spéartha mar bheinn ag siúl ar mhullach na gcnoc. Bhí mo bhealach féin do mo thabhairt go tír ghréine agus duilliúir nach bhfacthas a leithéid an taobh seo den domhan. Bhí mo shamhailteacha mar bheadh tonna móra ann ag neartú agus ag búirfigh i dtús doininne.

Bhí brionglóid agam an oíche sin ar choinnigh mé cuimhne uirthi. Bhí mé ar mhullach cnoic gan aithne gan ainm agus mé ag amharc ar chrann mhór a bhí ar an fhíormhullach, agus é leagtha agus a fhréamhacha os ceann a chraobhacha. Bhí gaol ag an chrann domsa. Bhí mo smior ann; bhí baint ag mo shaol leis ó thús m'fháis go dtí an uair sin. Chuir sé brón millteanach orm é a fhéiceáil stróctha as a úir dhúchais agus a fhréamhacha gonta. Choinnigh mé cuimhne ar an bhrionglóid sin ó shin, agus rud deacair cuimhne a choinneáil ar bhrionglóid.

Ach is minic nach mbíonn in aisling na hoíche ach loinnir a thig i machnamh an lae, an dóigh a gcuireann an ghrian loinnir sna néalta lá fearthainne agus a ndéan sí an tuar cheatha. Níor thairngreacht ar bith an bhrionglóid seo. Nó ní dheachaigh mé chun na nIndiach Thiar. Dá mbímis ag ceasacht ó shin ní bhfaighimis a oiread airgid agus d'íocfadh ar son pasáid aon duine amháin. Shiúil mé féin thart na sráideanna mar dhuine, ach ní bhfuair mé aon duine a raibh aon phingin aige le cur i gcíos Rí Bán na bhFear Dubh.

12

Is minic a thrácht na héigse ar an oibriú a thig ar intinn an duine nuair a bhíos an geimhreadh thart agus thoisíos luibhear-nach an domhain a fhás agus éanach an aeir a sheinm. Tá sé in amhrán de chuid an Reachtabhraigh:

Anois, teacht an earraigh, beidh an lá 'dul 'un síneadh,
'S thar éis na Féil' Bríde ardóchad mo sheol.

Mhothaigh mise mé féin corrach nuair a tháinig an Fhéil Pádraig agus mé i mo chónaí in aon áit amháin cúig mhí fhada ó bhí Samhain roimhe sin ann.

Dúirt mé liom féin gur bheag an éifeacht a bhí déanta agam, i mo shuí i seomra agus leabhar nó peann agam, nó ag spais-teoireacht fá shráideanna. Bhí mé mar bheadh bád gan stiúir ar bharr na farraige ann ag imeacht le gach boc de ghaoth. Bhí mé uaigneach, bocht, scaite. Bhí an saol mór ag dul tharam agus mé mar bheadh cloch ar bhruach an róid a mbeadh an talamh á slogan agus an féar ag fás aníos uirthi. Ní raibh barr dom gan rud éigin a dhéanamh a thógfadh an droim dubhach díom. Chaith mé coicís ag meabhrú orm féin sula dtáinig sé tríom dada a dhéanamh.

Fá dheireadh, lá amháin san Aibreán, thiontaigh mé amach mo phócaí agus fuair mé dhá phunt agus an naoi agus trí pingne agam. Ba sin a raibh fágtha de shé ghiní a fuair mé ó pháipéar in Éirinn ar son aistí a scríobh mé. Agus ní raibh a fhios agam faoi Dhia cá dtiocfadh an dara hairgead as nó goidé mar sheachnóinn trí mhí gorta ar a laghad. Dar liom, tá a oiread agam agus bhéarfas go hÉirinn ar scor ar bith mé. Ach níl fonn ar bith orm a dhul go hÉirinn. Tá mé dúthuir-seach de Éirinn agus ní bheidh mé níos uaisle i méin nó níos neartmhaire in iarraidh le linn pilleadh anois uirthi. Goidé faoi Dhia a thiocfadh le duine a dhéanamh le dhá phunt? Dá mb'fhéidir le duine a oiread a cheannach orthu agus go mbeadh cuimhne a choíche aige orthu. Ar ndóigh, dá gcastaí mac rí as an Domhan Thoir orm a bheadh ag fáil bháis den ocras, go dtugainn iasacht dó agus go bhfaighinn flaitheas agus forlámhas ar réigiúin chiana choimhthíocha dá thairbhe! Ach ní raibh dul agam a leithéid a fháil i bport an ghuail.

Ansin bhuail sé isteach i mo cheann mé gur chóir dom an tír a shiúl, a dhul amach fá na gleannta agus coisíocht a dhéanamh mar rinneadh in aimsir na bhFiann, agus codladh in áiteacha a d'fhóirfeadh do laochra, agus a theacht trasna ar dhaoine a bhí ag siúl achan lá thart fáinne beag fána gcuid tithe cónaí, agus imeacht uathu go héagsamhalta. Gan a bheith ar teaghrán ag an aon scraith, nó an aon tábla, nó an aon leaba. Dá laghad é, d'fhéadfadh sé duine a dhéanamh éifeachtach. D'fhiafraigh mé díom féin cá fhad a bhéarfadh dhá phunt mé, agus mheas mé go dtabharfadh a chóir a fhad agus chuaigh Muircheartach na gCochall Craiceann mórthimpeall Éireann. B'fhéidir go dtabharfadh siad go hAlbain mé, go bhfeicinn Sciath Ailín ina seasamh os cionn Loch Rannoch, agus an blár rua sléibhe siar go dtí na gleannta a raibh Clann Uisnigh ar an choigrích iontu. Bhí dáimh agam le hAlbain. Tír Ghaelach í agus ní thig a scéal a scaradh ó scéal na hÉireann. Tá trácht ar chuid laochra na hAlbain i mbéaloideas Thír Chonaill. Agus chonaic mé i leabhar uair amháin, bíodh sé ceart nó ná bíodh, gur as Albain a tháinig Clann Mhic Grianna, gur de phór Lochlannach iad, agus go dtáinig siad anall in aimsir na nGallóglach. Dúirt mé liom féin go siúlfainn go hAlbain.

Chuaigh mé amach ansin go gceannaínn airm agus éide fá choinne an astair. Fuair mé máilín agus braillín uisce agus hata agus brístí uisce. Ag dul síos sráid, bealach an chuain, dom chuimhnigh mé go mbeadh scian úsáideach. Choinnigh mé mo shúil ar na fuinneoga go bhfaca mé an uirlis a bhí a dhíth orm. D'amharc mé ar an ainm a bhí os cionn an dorais. Bhí sé coimhthíoch—Lambadarios. " Gréagach, creidim ! " arsa mise, agus shiúil mé isteach. Bhí fear meánaosta sa tsiopa a raibh cuma ghroíúil intleachtach air.

" Ba mhaith liom scian a cheannach," arsa mise.

Thug sé anall dhá chineál chugam.

" Is fearr liom í seo," arsa mise. " Is í is cosúla le claíomh."

D'amharc sé go hiontach orm.

" Ar miste dom a fhiafraí duit an Gréagach thú ? " arsa mise.

" Sea," ar seisean.

" Is é d'ainm a mheall mé," arsa mise. " Chan achan lá a cheannaím claíomh ó fhear a tháinig ó thír ársa intleachtach na Gréige. Tá mé ag dul amach ar astar a shiúl na gcnoc agus na ngleanntán, agus a chodladh amuigh faoin spéir, agus is maith liom cruaidhe a bheith liom a chuirfeas cúl ar mo námhaid agus a fheannfas agus a roinnfeas an tseilg tráthnóna."

D'fhág mé Lambadarios ag amharc i mo dhiaidh. Dhéanfainn mo chomhrá leis ach go bé go raibh an t-astar barraíocht ar m'intinn le dhul a sheanchas fán Ghréig. Thug mé ceithre pingin déag ar an scian. D'iompair mé í achan áit dá ndeachaigh mé le bliain, agus beidh sí luaite i mo thiomna.

Ní raibh agam nuair a bhí mé fá réir fá choinne an tsiúil ach cúig déag is punt. Mheas mé go mbeadh sin gann go leor le bia coicíse a cheannach. Bheadh agam le mo lóistín a fháil in aisce. Chaith mé oícheanna anróiteacha ar chuid cnoc Thír Chonaill, ach níor chodlaigh mé aon oíche amuigh riamh ach oíche amháin i gcruach fhéir i gCondae Luimnigh, oíche shiocáin fosta. Bhí sé chomh maith agam an éacht a dhéanamh go fearúil. D'éirigh mé i mo sheasamh agus thug mé trí mhionna.

An chéad cheann, nach gcodlóinn faoi scáth tí ar an tsiúl.

An dara ceann, nach gcuirfinn mo chos ar carr ná ar traen ar an bhealach.

An tríú ceann, nach seachnóinn cor ná comhrac dá dtiocfadh i mo bhealach.

Ar an naoú lá de Aibreán, Dé Luain, d'éirigh mé agus

d'imigh mé. Ba rún dom imeacht le bánú an lae, ach bhain a leithéid siúd agus a leithéid seo moill asam go dtí go raibh sé idir a haon agus a dó a chlog ag imeacht dom. Chuaigh mé amach Sráid na Cathrach agus chor mé i leataobh uaidh go dtáinig mé ar an bhealach mhór a bhí ag dul ó thuaidh. Nuair a chuaigh mé tuairim ar dhá mhíle bhí mé taobh amuigh den bhaile. Bhí teach tábhairne darbh ainm *An Crann Darach* os mo choinne, agus bealach ag dul gach taobh de, an bheirt ag dul ó thuaidh. Choinnigh mé an ceann a bhí ag dul taobh mo láimhe clí.

Bhí lá fionnuar ann agus an ghrian lasta, agus shiúil mise liom mar bheadh fear a bheadh ag coimhlint choisíochta leis an tsaol mhór, bhí mo choiscéim chomh tapaidh agus chomh héadrom sin. Níorbh fhada a chuaigh mé gur casadh an chéad fhear de lucht siúlta an róid orm. Bhí sé cineál fann anabaí san aghaidh agus buna féasóige air. Bhí máilín leis mar bhí liom féin agus bata i gcúl a dhoirn. Ach ba é a chuid coisíochta a ba mhó ar chuir mé sonrú ann. Ní raibh mórán ní ba mhó ná leath an tsiúil leis a bhí liomsa, agus thug mé fá dear chomh sócúlach agus chuireadh sé a chos ar an talamh le achan choiscéim. Bhí mo chosa-sa ag bualadh an talaimh go cruaidh daingean, ach déarfá gur ag snámh ar a bhonnaí a bhí seisean. D'amharc mise díreach air agus d'amharc seisean orm, agus dúirt a dhá shúil go soiléir:

" Cén t-amadán a bhfuil an siúl sin leis ? "

D'imigh mise liom agus bród orm as lúth mo ghéag. Ach b'fhéidir go raibh mé ag smaoineamh thiar go domhain i m'intinn go mb'fhearr dom coiscéim an bhacaigh a fhoghlaim.

Chuaigh an bealach mór síos an mhala agus isteach sa chéad ghleann. Bhí an t-uisce darb ainm Taff ar thaobh mo láimhe clí agus malacha faoi chrainn agus chaschoill ar an taobh eile. Bhí an siúl ag éirí aoibhinn ach go bé gur thoisigh an fhearthainn. Chuir mé orm mo hata uisce agus mo chuid brístí chomh tiubh géar agus tháinig liom. Chuir sé de dhíon is de dheora ar feadh uaire. Nuair a rinne sé turadh bhí mé i lár an ghleanna agus bhí na crainn go hálainn ar mhalacha arda os ceann na habhann, agus droichead an bhóthair iarainn ag dul trasna romham agus ag imeacht thart ruball an chnoic thall i bhfad in airde agus é i gcúnglach mhór.

Bhí mé ar mo sháimhín suilt arís ach go bé gur thoisigh tairne a bhí i mo bhróg do mo pholladh. Chuaigh mé isteach i leataobh go dtí poll ar baineadh clocha as agus bhain mé díom an bhróg. Nuair a bhí mé ag útamáil uirthi chonaic mé beirt fhear agus bean ag teacht amach as cúl ardáin agus ag dul chun an bhealaigh mhóir. Tincéirí a bhí iontu; fuair mé gríosach na tine a raibh siad ina suí aici nuair a bhí bail ar an bhróg agam. Bhí siad ar shiúl thart an t-am sin agus ní fhaca mé ní ba mhó iad.

Chuaigh mé tríd chúig nó sé 'mhionbhailte beaga, go dtí go raibh mé deich míle as Caerdydd, agus i rith an ama sin ní dhearn mé scíste ar bith. Níor mhothaigh mé tuirse ar bith agus níor smaoinigh mé ar scíste. Dá mbíodh a fhios agam goidé a bhí romham bheinn ní ba sócúlaí orm féin. Fuair mé an chéad amharc an t-am seo ar an rud a bhí romham. Chonaic mé an gleann ag cúnglú agus tithe chomh tiubh agus b'fhéidir a gcur ina seasamh istigh ann. Ba é béal an Rhondda é. Dhó nó trí bhomaite ina dhiaidh sin nocht simléar mór ard, agus leis sin fuair mé boladh na toite i mo ghaosáin.

Bhí a fhios agam cheana féin cá leis a raibh baile guail cosúil, mar tá, le páirt de Ifreann a ndéanfaí neamart ann— an t-aer ramhar le toit agus, dar leat, le luaith agus le gríosach, sa dóigh a n-éireoidh do shúile nimhneach in am ghairid leis, agus na tithe níos gruama ná aon ní ar an domhan ach aghaidh na ndaoine amháin. Más maith leat a thuigbheáil cá leis a bhfuil baile guail cosúil cuir do shoc le tine atá leathdhearg go bplúcha an toit thú, agus ansin beir ar ghráinnín den luaith agus cuimil idir do mhéara í go dtara dioth i do chár. Bhí sin tuigthe agamsa, ach ina dhiaidh sin níor thuig mé an Rhondda.

Ina dhiaidh sin dar liom go raibh Pontypridd deas, ina luí teacht na hoíche idir chnoic agus cloigtheach an teampaill ina lár. Fuair mé lán ní b'fhairsinge é ná béal an ghleanna.

ach nuair a chuaigh mé tríd bhí mé sa chúnglach. Bhí fair-singeach sa ghleann ag bealach iarainn agus ag sráid amháin tithe agus basin uilig é. In amanna thigeadh creag chruaidh agus chuireadh sí an tsráid suas ceathrú míle ar an mhala. Bheadh na cnoic míle troigh ar airde anseo nó fán tuairim sin; agus bhí cnoic eile thall agus abhus nach raibh scéimh nó sásamh iontu, carnáin mhóra shalacha de chonamar a baineadh as poill phlúchtacha faoin talamh. Gheibhinn corramharc ar an abhainn agus í go díreach chomh dubh leis an ghual. Corruair tínn muileann de chineál éigin agus caor mhór thine istigh ann agus easnacha agus putóga na n-inneall dubh idir mé agus an solas, ach b'fhíorbheag obair a bhí le feiceáil ann. Sreangán de thithe beaga ísle suaracha a bhí uilig cosúil le chéile agus bealach cúng eatarthu, gan ghleo gan chuideachta, gan mhórán solais féin. Bhí cúig míle dhéag de sin le siúl agam sula mbeinn amuigh as an Rhondda.

Nuair a shiúil mé tuairim ar uair agus nach raibh deireadh leis an tsráid chuimhnigh mé ar an ocras agus chuaigh mé a chuartú bídh. Agus a leithéid de chuartú! Chuaigh mé isteach i siopaí beaga dorcha nach raibh earra ar bith iontu agus is dóigh liom gur sa triú ceann a fuair mé arán. Ní raibh dul agam cáis nó bainne nó uibheacha a fháil ar ór nó ar airgead. Dar liom féin, is measa seo ná anró ar bith dár shamhail mé; is measa é ná lár an tsléibhe, nó thiocfadh le duine luí ar a tharr in airde i lár an tsléibhe. Shiúil mé liom síos an tsráid dhorcha sin nach raibh cuma uirthi go mbeadh deireadh choíche léi.

TONYPANDY: Tháinig sé go héagsamhalta orm, baile geal lúcháireach i lár an uaignis. Bhí neart siopaí ann agus neart solais agus an t-aos óg ag déanamh grinn achan áit. Chuaigh mé isteach i siopa agus cheannaigh mé dhá uibh agus píosa cáise. Chuaigh mé anonn ansin go teach itheacháin den chineál a bhíos ag na hIodálaigh agus d'ordaigh mé gloine bainne. Shuigh mé ag an tábla agus tharraing amach mo scian agus scoilt blaosc na n-uibheacha agus shlog siar iad fuar. Thoisigh mé ansin ar an arán agus ar an cháis agus ar an bhainne.

Bhí triúr nó cheathrar de bhuachaillí óga an bhaile istigh agus an mionghreann acu a bhíos ag a leithéidí i mbaile Ghaelach. Ní raibh an snas a bhí ar a gcuid cainte éagosúil le snas Bhéal Feirste, ach nach raibh sé chomh láidir. Bhí neart gleo acu. Ach ní raibh fonn cainte ar bith orm féin. Chuir na seacht míle de shráid a oiread gruaime orm agus go mb'fhearr liom gan labhairt le aon duine. Bhí cuma ar na daoine sa bhaile seo go dearfa go raibh siad lách múinte; b'fhearr liom iad ná muintir Chaerdydd. Ach ní thiocfadh liom labhairt. Bhí buachaill amháin ina shuí ar bhord an tsiopa agus thugadh sé a shúil go minic orm. Bhí sé tamall mór fada ag déanamh staidéir orm. Ní raibh mé cóirithe cosúil le hoibrí—brístí gairide agus bróga éadroma buí. Bhí máilín liom, cinnte, agus bhí mé ag ithe cosúil le fear a threabhaigh an saol mín agus garbh. "Ag iarraidh oibre?" ar seisean go leathíseal fá dheireadh. Dar liom féin, tá fiche áit a mb'fhusa obair a fháil ann ar an bhomaite ná an Rhondda.

Bhí mo chosa ag mothachtáil na tuirse an t-am seo, agus bhí mé ar neamh a fhad agus bhí siad cruptha faoin tábla agam. Ach i gceann cheathrú uaire d'éirigh mé agus shiúil liom. Bhí sé ag éirí mall, agus bhí na bailte móra damanta seo ag síneadh síos na gleanntáin romham agus an mionna orm gan codladh istigh i dteach. Shiúil mé liom.

Casadh an tír orm taobh amuigh den bhaile seo. Bhí bealach deas ag dul thart taobh an tsléibhe agus an t-aos óg amuigh ag spaisteoireacht agus ag déanamh grinn. Ach bhí bealach eile ag dul síos idir na tithe, agus ba é an aichiorra é agus lean mé de. Bailte agus tuilleadh bailte, agus tramanna ar an tsráid. Bhí na gleannta ag éirí ní ba ghnoithí i gcuma. Tuairim ar dhá uair ina dhiaidh sin bhí mé ag meas nach raibh sé i bhfad ón mheán oíche, agus bhí sráid chaol fad m'amhairc romham agus gan a fhios agam cá fhad eile a bhí sí ag dul.

"Caithfidh mé an sliabh a bhaint amach ar dhóigh éigin,"

arsa mise. "Sin nó briseadh ar mo mhionna an chéad lá de m'astar."

D'amharc mé ar gach taobh díom. Bhí na cnoic go díreach ar chúl na dtithe, ach níor léir dom bealach ar bith go dtí iad ach thar mhullach na dtithe. Ach ar ball beag fuair mé an gleann chomh leitheadach agus go raibh sráid bheag eile suas ar thaobh mo láimhe deise. Chuaigh mé amach ón tsráid mhór agus suas bealach a bhí ag dul isteach i gcúl rainse tithe. Ní dhearn aon duine iontas díom go raibh mé istigh i gcúl na dtithe. Bhí mé ansin fá thrí nó cheathair de shlata de fhuinneoga a gcuid cisteanach, agus creidim go mbeadh iontas ar an té a thiocfadh orm ansin.

Bhí garranta idir mé féin agus an cnoc. Bhí sé chomh dorcha agus nár mhó ná gur léir dom rud ar bith, ach idir mhothachtáil agus amharc mo shúl d'éirigh liom a theacht ar gheata agus d'oscail mé é. Dar liom, tá mo cheann liom. Ach ní dheachaigh mé os cionn chúig slata go dtí gur cheap claí sreangach mé. Dá mbíodh gan dorchadas na hoíche a bheith ann, agus dá mbínn gan a bheith i ndiaidh ceithre mhíle fhichead a shiúl, rachainn thar na claíocha sin. Ach dar liom go mb'fhearrde gan a dhul chun spairne leo. Shiúil mé thart an garraí sin agus ní tháinig liom geata nó bearna a fháil. Shiúil mé athuair é. Bhí cuid solas na gcisteanach naoi nó deich de shlata anonn agus bhí mé cinnte go dtiocfadh duine éigin amach orm. Fá dheireadh phill mé an bealach céanna ar ais agus chuartaigh mé go bhfuair mé geata eile. Chuaigh mé suas cabhsa ansin naoi nó deich de shlata, agus shíl mé go raibh liom arís nuair a casadh geata eile orm.

Ní thiocfadh liom a fhoscladh i ndiaidh mo dhícheall a dhéanamh leis. Chuir mé mo chos air ach thosaigh sé a ghliúrascnaigh fúm agus bhí a fhios agam nach n-iompródh sé mo mheáchan. Bhrisfinn ina chonamar é i dtrí bhomaite, ach bhí eagla orm go gcluinfí sna tithe mé.

Phill mé trí nó ceathair de choiscéimeanna agus chuaigh mé ar aghaidh ar ais. D'ionsaigh mé an claí i dtrí háiteanna ach ní raibh gar ann. Ba domhain liom i mo bhás an bealach seo a thabhairt suas, ach fá dheireadh b'éigean dom pilleadh.

Bhris mé isteach i ngarraí eile. Bhí sé seo ní b'fhairsinge, ach bhí sé i ndiaidh a rómhar agus líonadh mo bhróga le créafóg. Ach ba bheag an tsuim sin. Fuair mé geata agus d'fhoscail mé é, agus geata eile, agus chuaigh mé a fhad ó na tithe agus nach bpillfinn dá mbíodh leathchéad troigh de bhalla romham. Agus nuair a bhí mé i bhfíorimeall na ngarranta fuair mé sreangacha romham a ba chasta ná aon cheann dar casadh orm roimhe sin.

Ach bhreathnaigh mé iad agus fuair mé gan urchóid iad. Ba é an cineál a bhí iontu, cáblaí iarainn a bhí roiste agus na sreangacha fite trasna ar a chéile mar bheadh eangach ann. Chuartaigh mé go bhfuair mé barr cheann de na téada agus d'oibir mé amach agus isteach as an eangach é go raibh trí nó ceathair de shlata de roiste agam. Bhí na mogaill mór go leor ansin le mo chorp a oibriú tríothu. Chuir mé mo mháilín anonn agus ansin sháigh mé mo cheann sa mhogall. Fuair mé na guaillí tríd, ach bhí sé tuairim ar shlat ón talamh agus nuair a bhí mé leath ar gach taobh bhí mo cheann agus mo chosa san aer agus mé ag lúbarnaigh thar a bhfaca tú riamh mar bheadh iasc in eangach ann. Fuair mé an talamh le mo chrága fá dheireadh agus thug mé anall na cosa. Thóg mé mo mhála agus suas taobh an chnoic liom.

Tá mé ag meas gur chaill mé ní ba mhó allais ag dul tríd na seangharranta sin ná chaill mé in iomlán shiúl an lae. Ní raibh aon snáithe ar mo chorp nach raibh ar fáscadh. Smaoinigh mé arís go raibh na claíocha seo déanta leis na caoirigh a bhí ar an chnoc a choinneáil amuigh, agus scéal cinnte an chaora a gheobhadh a mbua go mbeadh sí ar a son féin.

Thogh mé lag a bhí cóngarach do mhullach an chnoic, agus tharraing mé amach mo bhraillín uisce agus spréigh mé ar an talamh í. Bhain mé díom mo bhróga agus d'athraigh mé stocaí orm agus rinne mé ceannadhairt de mo mháilín. Bhí an bhraillín uisce sé troithe ar fad agus cúig troithe ar leithead, agus shíl mé go mbeadh mo sháith fairsingí inti. Fuair mé amach nuair a bhí sí fúm agus tharaim go raibh na cúig troithe gann, agus b'éigean dom mé féin a chrupadh le mo ghuaillí a choinneáil cumhdaithe.

Fear sócúlach de nádúir mé, agus thug an dúil sa tseascaireacht orm plaincéad a thabhairt liom nuair a bhí mé ag imeacht as an lóistín. Chuir mé orm faoi bhráillín an uisce é agus choinnigh sé teas an tsiúil i mo cholainn. Níorbh éigean dom fuacht ar bith a fhuilstean an oíche sin. Ach bhí an cnoc chomh cruaidh le leic fúm, agus dá mbogainn mhothaínn corr cloiche ag teacht sna heasnacha orm. Thréig an codladh glan mé agus bhí crith ar mo bhalla leis an mhasla. Ina dhiaidh sin bhí cineál de cheo ar m'intinn. Chuala mé cloganna ag bualadh thíos sa bhaile mhór, cloganna tram is dóiche. Ach ba é an rud a thug siad i mo cheannsa dán a léigh mé fada ó shin ar an scoil:

Hark ! the faint bells of the sunken city
Peal once more their wonted evening chime . . .

Chuimhnigh mé gur Séamas Ó Mongáin, an duine bocht, a rinne an dán sin; agus d'éirigh m'intinn beo agus mhair mé tamall fada ag trácht gos íseal ar an fhile. Níl a fhios agam cá leis a raibh mé ag caint—b'fhéidir gur le neachanna sí an tsléibhe nó le daoine a casadh fada ó shin orm agus a raibh mearchuimhne agam orthu. Nuair a stad mé d'fhoscail mé mo dhá shúil agus fuair mé spléachadh ar spéir scáfar a raibh an dorchadas ag baint a hanama di.

Chodlaigh mé fá dheireadh, ach is deacair liom féin a chreidbheáil gur chodlaigh mé. Tá mé cinnte nár chodlaigh mé mar chodlódh duine a bheadh i leaba sheascair agus scáth tí os a chionn. Chodlaigh mé mar chodlódh creag a bheadh riamh faoin doineann ann. Chodlaigh mé gan sócúl; chodlaigh mé mar chodlaíos na méara nuair a bhíos ionglach iontu. Ach ní bhfuair mé an codladh sin féin gur chuir sé cioth fearthainne orm agus gur mhothaigh mé na deora ag baint tormáin as mo bhraillín uisce fá leathorlach de mo chraiceann.

Níor mhuscail mé go nádúrtha ach a oiread. Tamall roimh

an lá fuair mé mé féin corrach, mar chaithfí amach go tobann i lár deileoireachta mé. Dhruid mé mo shúile arís leis an ghruaim urchóideach a bhí thart orm a sheachaint agus choinnigh mé druidte iad gur ghlan an lá. Tháinig an solas go tláith lagbhríoch. Fuair mé mullóg de chnoc taobh thall díom a rinneadh le conamar an ghuail agus ar fhás cíb air nuair a bhí sé na blianta ina luí ansin.

D'éirigh mé, agus dar liom go raibh mé ní ba mheasa ná an uair a chuaigh mé a luí. Chruinnigh mé mo chuid balcaisí agus thug m'aghaidh amach an cnoc.

13

Chuaigh mé thar mhullach an chnoic agus cnap tais ceo ag scaradh ón tsliabh leis an mhaidin. Chuaigh mé síos an mhala agus mé go furchaí ar lorg uisce. Níorbh fhada go dtug mé fá dear píopaí a bhí ag tabhairt an uisce síos chun an bhaile mhóir. Agus ar ball beag casadh abhainn orm.

Nigh mé m'aghaidh sa tsruthán. Thug mé amach mo chuid aráin agus cáise ansin agus d'ith mé mo bhricfeasta agus d'ól mé deoch mhór den uisce. Thaitin sé liom ar dhóigh. Bhí uisce an tsléibhe fuar, iontach fuar. Ní raibh teas ar bith san arán nó sa cháis. Bhí an fuacht fá dtaobh díom ar maidin, bhí sé fá dtaobh díom i rith na hoíche. Bhí sé i mo cholainn, bhí sé go smior ionam; bhí mé mar bheadh iasc a bheadh ag snámh ar an linn ann, nó crann nó planda a bheadh ag fás ar an uaigneas. Bhí an fuacht sin milis ina dhiaidh sin, agus mhothaigh mé lúcháir orm go raibh an abhainn ansin agus dúirt mé nárbh ionadh ar bith liom dá n-adhraíodh an cine daonna aibhneacha i dtús an tsaoil.

Shiúil mé anonn an cnoc ansin agus, má shiúil, chan gan mhasla. ˙ Tá siúl sléibhe maslach ar scor ar bith agus bhí cuid de phian an lae inné sna cosa.Tháinig mé go bruach gleanna agus chonaic mé bóthar iarainn ag dul tríd. Nuair a tháinig mé a fhad leis bhí meirg ar na hiarannacha. Chuaigh mé trasna droim cnoic eile agus tháinig mé go bruach beann agus chonaic mé uaim tithe an Rhondda arís agus, cinnte, cúig mhíle de chnoc siúlta agam. Choinnigh mé soir, nó bhí mé ag brath na bailte salacha sin a sheachaint dá mb'fhéidir é.

Nuair a bhí dhá mhíle eile siúlta agam tháinig mé go dtí áit a raibh rálacha ina luí agus seantrucanna agus cáblaí iarainn. Chuaigh mé síos an mhala agus tháinig mé ar bhóthar iarainn. Bhí fear ag líonadh na maidí seo a chuireann siad mar thacaí sna poill, á líonadh isteach i gcarranna. Labhair sé go lách:

" How are you ? " ar seisean.

" Fad saoil duit," arsa mise. " Gael thusa agus cinnte tá na bailte móra fágtha i mo dhiaidh agam."

Ach ní raibh. Chuaigh mé amach ar an bhealach mhór agus casadh scoil orm agus teampall. Ansin chuaigh mé síos sráid agus mná ina seasamh sna doirse. Bhí sé chóir an mheán lae.

ABERDARE: Baile glan, beo seascair i gcosúlacht agus cuid mhór daoine fán tsráid. Thug mé fá dear dealbh i lár an bhaile; fear éigin a fuair duais ar son seinm ceoil i Londain agus ní cuimhin liom a ainm anois. Thaitin sin liom. Bhí sé dúchasach, nó tír mhór ceoil Cymru.

D'imigh mé ansin ar lorg rud éigin le hithe. Bhí rún daingean agam a bheith beo ar uibheacha fuara agus ar cháis agus ar chorrbhocsa bradán i rith an tsiúil. Ach tháinig na cathuithe orm a dhul fá theach itheacháin agus suí agus greim a bheith agam go sóúil. Bhí dúil riamh agam suí i dteach itheacháin, agus dá mbíodh leabhar agam b'amhlaidh ab fhiliúnta é. Chuaigh mé isteach i gceann acu fá dheireadh.

Bhí buachaill dubh ag freastal sa tsiopa, fear a bhfaighfeá a leithéid in Éirinn go minic, fear acu seo a bhfuil níos mó den chaoineas ná den dáighe ina nádúir. Bhreathnaigh sé toirt mo mhála agus chroith sé a cheann. Creidim go dtug sé fá dear tuirse éigin i mo cholainn fosta. Tháinig sé anall chugam.

" Ceapaire muiceola," arsa mise, " agus gloine bainne."

" Bainne te nó fuar ? " ar seisean.

" Te," arsa mise agus uisce le mo chár.

" Tím go bhfuil tú ag coisíocht," ar seisean. " Ním féin cuid mhór coisíochta. An dtáinig tú i bhfad ? "

" As Caerdydd," arsa mise.

" Cinnte le Dia ní tháinig tú as Caerdydd inniu ? "

" Is beag nach dtáinig," arsa mise.

" Tá tír bhreá choisíochta thart fá seo," ar seisean, ag dul anonn agus ag tabhairt leis léarscáil. " Fan anois. Seo Aberdare. Seo anois cnoic Bhrycheiniog."

" Sin mo bhealachsa," arsa mise.

" Tá gleann millteanach amach an bealach sin. Tá sé trí mhíle is fiche ó seo go hAberhonddu ar an taobh eile de na cnoic. Seo anois an Cnoc Mór, trí mhíle troigh. Bhí mé ar a bharr sin agus bhí amharc millteanach tíre faoi mo shúil. Amach ó Aberhonddu go Builth agus go Rhayader agus thart ag tarraingt ar Phlynlimon. An bhfeiceann tú an loch sin ? Sin an áit a bhfuil trácht uirthi sa leabhar, *The House under the Water*, má léigh tú í."

" Léigh mé anuraidh í," arsa mise, ag cuimhniú ar an tiarna Bhreathnach a d'éirigh tuirseach de obair an talaimh agus a dhíol a státa le cathair Bhirmingham, go dtí gur báitheadh seanteach a shinsear faoi obair an uisce.

" Sin anois an áit. Tá a oiread eile le feiceáil siar. Níl a dhath ó dheas. Tá an Rhondda ró-ghruama."

" Murab fhuil sé álainn tá sé iontach," arsa mise, " agus b'fhearr liom dhá mhíle a shiúl ar an tsliabh ná míle ar an tsráid."

" Ach cinnte níl tú ag dul go hAberhonddu inniu," ar seisean.

" Déanfaidh mé mo dhícheall leis," arsa mise.

Bhí sé tuairim ar a haon a chlog nuair a d'fhág mé an baile. Shiúil mé na ceithre mhíle go leith go Hirwaen, an baile deireanach de cheantar an ghuail. Bhí deifre orm, ar an ábhar go raibh na gleannta uaigneacha ag teacht orm an leath dheireanach den lá, agus níor fhan mé le bia ar bith a cheannach. Ach nuair a tháinig mé a fhad le Penderyn, áit a raibh oifig poist agus dhó nó thrí de shiopaí inti, bhí aireas agam go raibh mé in imeall an fhiántais. Chuaigh mé isteach i siopa. Bhí fear daingean sochmaí istigh, agus nuair a bhí mé ag dul isteach chuala mé é ag tabhairt freagra ar cheist a chuir bean as an chistin air:

" Pump ar hugain wedi tri." (Cúig bhomaite is fiche i ndiaidh a trí)

Ní raibh mé ag dúil leis an Bhreathnais chomh cóngarach seo do bhailte an ghuail. D'éirigh mo chroí.

" Prynhawn da," arsa mise. (Tráthnóna maith)

Rinne muid tamall beag comhrá ansin, a fhad agus d'iompair mo chuid Breathnaise mise. Cheannaigh mé bocsa de iasc bradáin uaidh agus d'imigh liom. De réir mo chuimhne chuaigh mé míle nó míle go leith sular casadh croisbhealach orm. Chonaic mé ar an chuaille eolais go raibh sé sé mhíle dhéag go hAberhonddu. Bhí mé ag dul isteach sa tsliabh agus chóir a bheith go leor siúlta agam ó mhaidin. Nó bhí mé ag siúl an tsléibhe ó d'éirigh mé go dtí an meán lae. Idir suas cnoc agus síos cnoc bhí mé ag cuntas ocht míle air, agus bhí seachtar eile déanta ó bhí meán lae ann agam. Bhí mé tuirseach i gceart i ndiaidh ceithre mhíle is fiche a shiúl an lá roimhe sin, ar an aon scíste, agus luí amuigh agus gan mo sháith codlata a fháil. Ní raibh mé ag ithe mo sháith bídh ach a oiread. Shuigh mé ag an chroisbhealach agus mo dhá chois ón ghlúin síos cráite agus mo chroí trom, nó baineann an tuirse an greann asat. Ba é a raibh de bhua agam nach raibh a fhios agam goidé a bhí romham.

Chuaigh carr thart agus mé i mo shuí ag an chroisbhealach agus tháinig cailín óg amach as a fhiafraí an bhealaigh go Hirwaen, agus ba sin an duine deireanach a casadh orm go raibh mé an taobh eile de na cnoic. Shín liom. Níl sé furast scéal a aithris ar dheich míle sléibhe nach raibh aon teach air, nó aon duine ar an bhealach mhór, nó aon chuibhreann amháin curaíochta ar an dá thaobh de. Chuaigh mé bun an Eargail agus an Bearnas Mór, ach bhí Bearnas Bhrycheiniog inbhuailte ar a bheith chomh fada leis an bheirt. Bhí an teas ar shiúl as an lá an t-am seo, nó tá teas an Aibreáin fealltach, agus bhí siorradh fuar gaoithe tríd an ghleann a bhí ina rith ar mo chnámha mar bheadh uisce abhann ar chreagacha. Níor mhothaigh mé riamh roimhe, agus tá súil agam nach mothaíonn ina dhiaidh, an tuirse agus an phian a bhí i mo dhá chois. Bhí mo chroí ag iarraidh orm suí, agus ag troid liom ar achan choiscéim ag iarraidh só, gur éirigh sé tuirseach agus gur ghéill sé go brúite do mo thoil. Nó bhí a fhios ag an toil gurbh é an dara lá báire na fola agus mura ndéanainn na ceithre mhíle is fiche an dara lá go raibh mé buailte. Bhí mé ag cur in iúl dom féin go ndéanfainn Aberhonddu, sin míle nó dhó leis na deich míle fhichead, agus léaró tuigse agam go gcaillfinn a oiread de uchtach na mílte deireanacha agus d'fhágfadh fá thuairim na gceithre míle fichead mé.

Fá dheireadh, nuair a mheas mé go raibh an t-am agam tráth eile bídh a ithe, ní raibh uisce ar m'amharc nó ar m'éisteacht agus b'éigean dom míle eile a shiúl sula bhfuair mé sruthán. D'oscail mé bocsa an éisc agus shnáith mé leis an arán é agus d'ól mé an t-uisce. Bhí an t-arán ar an taobh a ba ghainne ach bhí mé i bhfíorlár an ghleanna. Níor mhothaigh mé an fuacht agus an phian agus an tuirse ag cur orm dáiríre go dtí gur shuigh mé síos a ithe an trátha sin. Shíl mé go dearfa nach n-éireoinn a choíche. Bhí mé sna greamanna caola cruaidhe coraíochta an tamall sin agus ní feasach dom goidé a thug an bhua dom.

D'imigh mé, agus tá mé cinnte má bhí mé ag déanamh míle go leith san uair gurbh é an taobh amuigh de é. Chuaigh mé thart le oibreacha uisce Chaerdydd agus méag smaoineamh chomh fann agus bhí an duine. Dá bhfealladh an t-uisce seo bheadh Caerdydd ar an anás: dá bhfealladh mo chnámhasa anois—agus ar ndóigh bhí na cosa ar shiúl le fada mar mheilfí idir chlocha brón iad—dá bhfealladh mo chnámha bheadh deireadh liomsa. B'fhéidir go mbeadh sé seachtain sula bhfaighfí mo chorp agus, arsa mise liom féin go cadránta, ba bheag an t-iontas a dhéanfaí uilig de. D'amharcainn ar mhala an chnoic ag imeacht romham os cionn an róid, amharc aoibhinn ag an té atá gan chascairt, ach níor bhain mé de chiall as ach tuirse agus cadrántacht. Thoisigh an oíche a theacht, agus ba é an locht a bhí uirthi nach dtáinig sí gasta go leor. Nó is ionann páirc mhín idir dhá theach agus an blár is uaigní faoin spéir sa ré dorcha.

Uair nó dhó i ndiaidh é a dhul ó sholas tháinig mé a fhad le cineál de bhocsa a raibh rothaí air, cosúil le carr a bheadh ag seádaíonna na mbóthar. Ach is dóigh liom gur lucht chóirithe an bhealaigh mhóir a d'fhág ina ndiaidh é. Bhí sé foscailte agus thug mé in amhail a dhul isteach ann. Bhí sé ag bagar fearthainne agus bheadh foscadh ann. Ach chreathnaigh mé roimh an urlár chruaidh agus gheall mé dom féin go mbeadh leaba i gcruach fhéir an oíche sin agam, dá mbeadh i ndán is go siúlfainn go mbeadh sé fá uair do éirí gréine. Ní raibh mé cinnte ach a oiread go raibh mo cheithre mhíle is fiche déanta agam, agus ní raibh mé ag brath géillstean taobh istigh de sin.

Tháinig tallann orm agus neartaigh m'intinn go raibh cruas agus fairsingeach na gcnoc mór a bhí ar gach taobh díom inti. Chuaigh mé ar aghaidh, agus cé nach n-abróinn " gur ghaiste an tAmadán Mór ar a dhá ghlún ná seisear ar lúth na gcos" déarfainn go raibh an tAmadán Mór chomh teann agus bhí sé an mhaidin sin ón dá ghlún suas. Thoisigh sé a dheoradrú fearthainne.

Bhí aireas agam go raibh bunús an ghleanna siúlta agam nuair a chonaic mé solas. Bhí sé fad millteanach uaim agus thuig mé an t-am sin an fhaopach a mbeinn ann dá mbínn amuigh chomh mall agus go gcuirfí na solais as, nó bhí an oíche chomh dorcha agus nár léir dom mo mhéar a chur i mo shúil. Tharraing mé ar an tsolas sin agus theith sé romham mar bheadh neach de chuid an tsaoil eile a bheadh le m'aimhleas. Nuair a bhí dhá mhíle siúlta agam bhí sé amuigh thuas taobh thall díom, ní ba chóngaraí don áit a raibh mé nuair a chonaic mé an chéad uair é ná bhí sé don áit a raibh mé san am sin. Ar ball beag tháinig mé ar gheata agus ar bhóithrín a bhí ag dul tríd choill. Dar liom, tá an bóithrín seo ag dul go dtí an teach a bhfuil an solas ann agus chuaigh mé isteach ar an gheata. Shiúil mé suas le míle agus ní fhuair mé teach nó cró agus chaill mé an solas. Phill mé ar ais go dtí an geata.

Nuair a bhí mé ag an gheata bhí an fhearthainn ag titim ina tuilte. Chuaigh mé isteach faoi na crainn agus thug mé amach mo hata uisce agus chuir mé orm é, agus chuir mé an plaincéad agus an bhraillín fá dtaobh díom agus luigh mé.

Tá sé de ghnás ag daoine a dhul ar foscadh faoi chrann má thig cith; ach, creid mise, má mhaireann an fhearthainn i bhfad, is mó an t-olc ná an tairbhe an crann aon uair amháin a bheas an duilliúr maothaithe. Chuir sé ó am luí go héirí gréine an oíche sin agus bhí mise i mo luí muscailte faoi. Ní chreidim gur chodlaigh mé aon néall, ach bhí m'intinn chomh tuirseach agus nach bhfuil mé cinnte. Bhí sí chomh tuirseach agus nach dtáinig smaoineamh nó samhailt tríthi ach béir ina seasamh ar a gcosa deiridh, béir a bhí ag stámhailligh mar bheadh fir mheisce ann. Nuair a thug mé iarraidh m'anál a tharraingt go domhain agus socrú síos chun codlata chuaigh mé ar crith uilig agus d'éirigh m'anál chomh gairid agus gur shíl mé go raibh aicíd an chroí orm; ní raibh, ach giorra anála le tréan masla. Bhí sé deacair luí chomh suaimhneach agus go gcumhdódh an bhraillín mé. B'éigean dom éirí aon uair amháin agus mo leaba a athchóiriú. Shín mé mo chnámha ar scor ar bith, agus murar chodlaigh mé féadaim a rá nach raibh mé muscailte ach a oiread. B'fhéidir gur chodlaigh mé uilig ach an chuid díom ab fheasach go raibh fearthainn throm ann agus go raibh mo chnámha cráite le tuirse.

Nuair a ghlan an lá d'éirigh mé agus bhí mé buíoch beannachtach ar son a bheith ar mo chosa arís. Bhí mo bhraillín uisce fliuch trasna tríthi, cé gur choinnigh sí an deor díomsa. Chuaigh mé síos an bealach mór dhá chéad slat agus chonaic mé an chruach fhéir a ba seascaire a d'iarrfadh fear shiúlta an róid. Dhéanfadh ceathrú uaire eile é an oíche roimhe sin.

Bhí mé corradh beag le ceithre mhíle go leith as Aberhonddu. Idir an méid cnoc a shiúil mé ar maidin agus an bealach mór, agus an míle a shiúil mé sa choill, bhí sé mhíle agus fiche agus corradh déanta agam an lá roimhe sin.

Bhí bua an chatha liom. Ina dhiaidh sin bhris an chéad dá lá sin mo chroí, an dóigh a dtáinig an leath a ba mheasa den tsiúl i ndeireadh an lae orm agus nár éirigh liom a fháil ach díogha na leapa. D'fhág siad nimh i m'intinn a mhill cuid mhór de aoibhneas an tsiúil orm. Mhothaigh mé cuid de thuirse an dara lae sin agus mé i mo shuí anseo go sócúlach ag scríobh air. Is dóigh liom go mbeidh mé á mhothachtáil blianta níos faide anonn ná an oíche anocht.

14

Nuair a bhí suas le leathmhíle siúlta agam tháinig mé a fhad le teach itheacháin. Má théann tú a choíche an bealach tífidh tú é, Tyrhos, ceithre mhíle go leith amach as Aberhonddu. Bhí toit as agus bhí gasúr amuigh ar ócáid thimireachta i gcúl an tí. D'fhiafraigh mé de an raibh bunadh an tí ina suí agus dúirt sé go raibh. Chuaigh mé isteach. Bhí sé ceathrú i ndiaidh a seacht ar maidin.

D'ordaigh mé tráth bídh. Bhí taobh de mhuc crochta as mullach an tí agus fuair mise mo chuid di. D'ith mé tráth maith, an chéad tráth a fuair mé ó d'fhág mé Caerdydd a mb'fhiú an t-ainm a thabhairt air. Agus d'fhan mé a chois na tine go raibh sé i ndiaidh a hocht.

Ní dhearnadh aon mhórán comhrá liom, ach d'fhiafraigh bean an tí díom an Albanach mé agus dúirt mé nárbh ea ach Éireannach. Dúirt sí go raibh Albanach ina chónaí san áit agus go raibh dúil mhór aige a bheith amuigh faoin aimsir. "Tá dúil mhór aige in iolmhaitheas ar bith a gheibh sé gan dada," ar sise.

Bhí sé ina thuradh a fhad agus bhí mé ag siúl isteach go hAberhonddu, ach ní raibh mé i bhfad thairis gur thoisigh sé. Mhair sé bunús an ama go tráthnóna. Ní raibh mórán siúil ionam an lá seo. Bhí mé ag suí go minic, agus uair amháin luigh mé ar shlait mo dhroma ar thaobh an bhealaigh mhóir agus an hata uisce agus na brístí orm agus an fhearthainn ag doirteadh ina tuilte orm. Bhí mé ag iarraidh cleachtadh a thabhairt dom féin luí faoin fhearthainn agus gan suim ar bith a chur inti.

Bhí talamh cothrom féarmhar ar gach taobh díom, an chéad talamh maith a casadh orm ar m'astar. Níor tharla dada ar fiú trácht air ar an bhealach go ndeachaigh mé go dtí

Llyswen, dhá mhíle dhéag as Aberhonddu. Nuair a bhí mé cóngarach don bhaile seo bhí an fuacht agus an ghruaim ag cur orm go millteanach agus chuaigh mé isteach i ngarranta tí mhóir a bhí in aice an bhealaigh mhóir agus luigh mé síos ar an fhoscadh. Ní raibh mé i bhfad ansin gur mhothaigh mé rud éigin san aer. Ní feasach dom goidé a ba chúis leis, ach d'imigh an ghruaim agus an crá díom agus fuair mé sólás nach bhfaighinn dá mbínn dhá uair a chloig i mo luí in áit ar bith eile. Bhí mé chomh sásta agus gur tharraing mé amach mo scian agus ghearr mé an focal "Diolch" ar crann, le tréan buíochais.

An taobh eile de Llyswen chonaic mé teach itheacháin agus dúirt mé go mbeadh tráth fiúntach eile agam agus cead an diabhail ag an airgead. Chuaigh mé isteach agus bhí bean íseal chroíúil i gcosúlacht ann agus rinne sí tráth maith fairsing réidh dom. D'fhiafraigh sí díom an mbeinn ag fanacht an oíche sin agus dúirt mé nach mbeadh. Nuair a bhí mo sháith ite agus mo scíste déanta chuaigh mé go dtí an doras a dh'imeacht. Ach bhí an fhearthainn ag dortadh sa dóigh ar chuir sí crith ar mo chroí. Phill mé agus dúirt mé go bhfanfainn an oíche sin.

Bhí ceann de mo chuid mionnaí briste agam. Ach bhí mé faoi fhearthainn dhá dtrian an ama ó thoisigh mé ar m'astar. Bhí seacht míle agus trí fichid siúlta agam, agus bhí mé dhá oíche anróiteacha i mo luí amuigh ar an chnoc. Tá sé chomh maith an fhírinne a dhéanamh, bhí eagla orm go muirfeadh an triú hoíche mé san aimsir a bhí ann.

Nuair a fuair mé na braillíneacha in aice mo chraicinn an oíche sin dar liom gurbh é an luach thrí is sé pingne é ab fhearr a fuair mé riamh. D'imigh an nimh as mo chosa agus thit mé thart i gcúig nó sé 'bhomaití, nuair a bhainfeadh sé uair nó dhó asam amuigh. Chodlaigh mé deich n-uaire go sámh agus nuair a mhuscail mé bhí mé chóir a bheith cosúil le duine saolta.

Ag imeacht dom an ceathrú lá, i ndiaidh bricfeasta maith a ithe agus oíche mhaith chodlata a dhéanamh, bhí fuinneamh úr ionam, cé go raibh na cosa nimhneach go fóill. Bhí gleann aoibhinn glas romham, maolchnoic ag éirí cúig nó sé de chéadta troigh ar gach taobh agus é lán crann. Bhí abhainn mhór leathan ag dul tríd. Dar liom gurbh fhada ó chonaic mé gleann a ba deise. Ba é an t-aon ghleann é a chonaic mé riamh a raibh filíocht scríofa ar na crainn ann. Shíl mé ar tús gur scríbhinní a ba táire ná sin a bhí ar na cláraí geala a bhí ar na crainn ar fud an ghleanna. Ach nuair a tháinig mé in aice leo, thuig mé go ndearnadh rud a bhí indéanta san áit aoibhinn iontach seo. Nó cá bhfuil dóigh is uaisle le filíocht a chur gos ard ná í a scríobh ar chrainn?

Seo dán de na dánta seo, gan athrach nó ateanga, agus ní dhéanfaidh mé dearmad choíche de:

> Hail stranger, who when passing by
> Halt in the precincts of Glanwye.
> Know all, you've but a right of way
> – None to despoil, or hunt or stray –
> And, halting here, you owe a duty
> Not to defile my Fishing's beauty,
> With orange peel, and paper bags,
> Remnants of food and filthy rags;
> Or what is worse, by smashing bottles,
> That have appeased your thirsting throttles.
> Think of the cruel trap thus laid
> For the tender flesh of some courting maid.
> Burn what will burn, and what will not, keep
> And dump on some distant rubbish heap.
> Thus would I gladly make you free
> Of what of right belongs to me,
> Whilst for you all who do your duty,
> Nature will smile with added beauty.

Ná bíodh seachrán ort nó shiúil mé go Builth ar bheagán masla i ndiaidh na véarsaí seo a léamh.

Fuair mé Builth glan ordúil seascair. Ní dhearn mé moill

ar bith ann, nó bhí mé ag brath gaisciúlacht a dhéanamh an lá sin.

"Cé acu bealach go Rhayader?" arsa mise le scaifte fear a bhí ina seasamh ag coirnéal.

"Rhayader!" ar siadsan, agus thug siad fuaim an Bhéarla dó. Ba seo Sír Radnor agus níor labhradh aon fhocal Breathnaise inti le céad bliain. "Trasna an droichid."

Níor tharla dada iontach ar an bhealach go Rhayader. Bhí mé ag fágáil an mhachaire i mo dhiaidh agus ag tarraingt ar na cnoic arís. Is cuimhin liom go ndeachaigh mé tríd áit bheag dheas darbh ainm an Cúm Beag. Teacht na hoíche tháinig mé go dtí baile beag a raibh siopa nó dhó ann agus cheannaigh mé bainne agus uibheacha. Bhí sé a naoi a chlog oíche ré dorcha nuair a tháinig mé go Rhayader. Bhí cúig mhíle is fiche déanta agam an t-am sin, ach ní dhearn mé ach amharc ar an chuaille eolais agus coradh amach bealach Uangurig.

Ag dul amach an gleann dom dar liom go raibh sé iontach dorcha. Ar tús bhí na malacha íseal ar gach taobh díom. Ach nuair a chuaigh mé míle nó dhó d'éirigh siad ard. Dar liom nach bhfaca mé a leithéid de chnoic riamh. Stad na solais agus níor léir dom ach droim uafásach thuas in aice na spéire ar gach taobh díom. Bhí an ghaoth ag géarú mar bheadh stoirm ag teacht. Bheadh lúcháir orm roimh sholas an t-am sin, cé go raibh coisíocht go fóill ionam. An chéad uair sa tsiúl níorbh í an cholainn a ba chloíte agam ach an intinn. Ní uaigneas féin a bhí orm ach uafás marfach mar bheadh meáchan na gcnoc millteanach sin orm agus mé gan chosnamh sa dorchadas. Mhothaigh mé tuilte ag teacht le fána. Tháinig sprais fhearthainne agus rinne sé turadh arís, agus bhí mo shúile ar gach taobh díom agam ag dúil go n-ísleodh droimeanna na gcnoc. Ach mhair siad mílte agus mílte amuigh in airde idir mé agus solas an tsaoil.

Fá dheireadh casadh geataí agus páirceanna orm agus bhí mé ag dúil go bhfeicinn solas gan mhoill. Níorbh fhada gur casadh teach orm agus dúirt mé liom féin go mbeadh cruach fhéir an oíche sin agam. Bhí an teaghlach ina luí agus chuaigh

mé isteach geata an gharraí. Leis sin thóg mada callán mill-
teanach an taobh thall den gharraí. Ba léir dom scioból an
fhéir an taobh sin, ach bhí eagla orm go ndéanfadh an mada
scéala orm. Bhí cruach raithní an taobh abhus agus gan
scáth ar bith os a cionn. Dar liom go bhféachfainn í. Bhí a
béal ar thaobh an fhoscaidh agus ba é an chéad rud a rinne
mé suí síos agus mo dhroim léi, nó bhí mé i ndiaidh deich míle
fhichead a shiúl an lá sin.

Ar ball beag rinne mé mo leaba. Tharraing mé trí nó
ceathair de ascalláin den raithneach as an chruach agus luigh
mé air. Bhí sé breá sócúlach ó thús, ach nuair a bhí mé tamall
i mo luí air rinne mé leac de. Thuig mé ansin nach dtug mé
liom baol ar mo sháith de, ach ní ligfeadh an tuirse agus an
fhalsacht dom éirí. Tuairim ar dhá uair ina dhiaidh sin thit
mo néall orm.

Mhuscail mé roimhe an lá, sular éirigh muintir an tí.
Chodlaigh mé ceithre huaire, b'fhéidir. Ní raibh greim ar bith
bídh agam agus b'éigean dom siúl ceathair nó cúig de mhílte
go Uangurig sula bhfuair mé mo bhricfeasta.

Baile beag clochach cruaidh Uangurig agus cloigtheach
teampaill in airde os a chionn. Tá sé ina shuí i lag, an áit a
bhfuil rubaill chnoc ag scaradh ó chéile. Chuaigh mé isteach
ann roimh a hocht ar maidin; agus má théid tú an bealach a
choíche agus má théid tú isteach i dTeach Ósta an Mhéaracáin
Sí tífidh tú an tábla in aice an bhac ar shuigh mise an mhaidin
sin aige, murar athraigh siad ó shin é.

Dúirt mé leis an chailín go raibh céad míle siúlta agam ó
d'fhág mé Caerdydd.

"Is iomaí uair a chuaigh muid amach a choisíocht,"
ar sise. "Ach tá sé maslach. Ní dheachaigh muid amach
riamh nach dtáinig muid chun an bhaile ar an bhus."

"Tá mise ag dul céad nó dhó eile," arsa mise, "agus tá
mionna orm gan a theacht ar ais ar an bhus."

Shín liom amach an gleann ag tarraingt ar bhun Phlynlimon.
Tá Plynlimon chomh hard leis an Eargal ach tá malacha míne
cíbe fána bhun; cnoc é nach bhfuil a chur amach féin ann.

Mhothaigh mé anró an lá sin nár mhothaigh mé go dtí sin. Ba ghnách leis an tsiúl goilleadh ar chaol mo chuid cos roimhe sin, ach thoisigh sé a chrá na mbonnaí an lá seo. B'fhéidir gurbh é an miotal úr a bhí ar an bhealach mhór a ba chúis leis. Ach ar scor ar bith ba mheasa na bonnaí orm ná caol na gcos. Thug mé iarraidh coinneáil ar ghruaibhín an bhealaigh mhóir a fhad agus b'fhéidir liom, ach ní thiocfadh liom a dhéanamh ar fad agus níl aon choiscéim dá dtugainn ar an bhealach mhór nach raibh mar bheinn ag siúl ar thairní nó ar bhuidéil bhriste. Nuair a bhí mé ag dul thart ag bun Phlynlimon bhéarfainn mo leathshúil ar phéire úr bonnaí— agus mé ag geallstan dom féin i dtús na seachtaine go rachainn go barr an chnoic.

Is dóigh liom gur Gleann an Chaisleáin an t-ainm a bhí ar an ghleann i gcúl Phlynlimon, ag dul isteach i Sír Cheredigion thiar. Fuair mé tráth bídh i dteach i leataobh an róid, ó bhean dhubh dhonnroscach, agus ba ghann liom é. Shiúil mé liom thart gualainn an chnoic. Bhí an sliabh iontach mín anseo agus luigh mé tamall ar shlat mo dhroma ag éisteacht le ceol na gaoithe aníos an gleann. Tá Ceredigion caoin agus tá aoibhneas dóibh féin i gcnoic atá dhá mhíle troigh ar airde agus iad chóir a bheith chomh mín leis an talamh bhán.

Chonaic mé clár ar thaobh an bhealaigh mhóir agus an scríbhinn seo air: George Borrow Hotel. " Gur ba geal do lóistín ar neamh, a Sheoirse Mhóir ! " arsa mise. " Thug tú rúide tríd an tír seo nach raibh éagosúil le mo cheann féin." Bhí croisbhealach ag dul anonn anseo go dtí an áit a dtugann siad Droichead an Ainspioraid uirthi, áit a bhfuil clú mhór uirthi. Ach ní raibh mise ag dul an bealach sin. Shiúil liom gur thoisigh tairne i mo bhróg do mo chéasadh. Bhain mé díom an bhróg ach ní raibh dul agam dada a dhéanamh leis; ba den bhonn taobh istigh é. D'fhulaing mé go dtí go dtáinig mé go dtí baile beag darbh ainm Gogman ag dul ó sholas de. Bhí sé ag toiseacht a chur. D'iarr mé lóistín i dteach bheag íseal ar thaobh mo láimhe clí den tsráid.

Triúr a bhí an teaghlach seo ann, lánúin phósta agus a

níon. Bhí an bhean cineál amhrasach ar tús—bíonn a lán daoine in amhras ormsa—ach rinne sí a comhrá liom ar ball.

" C'ainm an áit seo ? " arsa mise.

" Gogman," ar sise.

" Tá sí deas," arsa mise.

" Creidim go bhfuil," ar sise, " ag an té a tí ar a choiscéim i. Níor tógadh mise san áit seo. Sasanach mé, as Kent."

" Ní bheadh duine ag dúil leat an fad seo siar," arsa mise. " Creidim go bhfuil an dá áit éagosúil go maith le chéile."

" Tá na páirceanna iontach beag anseo," ar sise.

" Bíonn siad mar sin i dtír chnocach i gcónaí," arsa mise.

Tháinig a fear isteach ar ball. Ba Bhreathnach eisean. Bhí páipéar leis agus shuigh sé á léamh. Ar ball beag thóg sé a cheann.

" Tá siad ag éileamh go bhfuil barraíocht ólacháin i dTeach na Dála i Londain," ar seisean. " Ach a oiread is dá mbeadh dochar ar bith deoch a ól ! "

" Is fíor duit," arsa mise, "agus níl ina ngnoithe ach cur i gcéill." D'inis sé ansin dom gur oibir sé sna poill ach gurbh fhada as obair é.

" Tá cuma níos folláine ort de thairbhe a bheith i do thost," arsa mise. " Saol cruaidh baint an ghuail. Deir siad go bhfuil a oiread de chontúirt ar an fhear atá ag obair sna poill agus atá ar an tsaighdiúir i gcogadh."

D'inis sé dom nach raibh aon mhórán oibre le fáil ar an talamh thart fán cheantar. Agus a gheall ar gan a bheith i mo thost dúirt mise leis go raibh tír bhreá thalaimh síos Glanwye agus go raibh ganntanas oibrithe orthu, rud nach raibh mé cinnte ar chor ar bith de. Tríd an chomhrá d'inis bean an tí dom go raibh cearr beag ar an níon, nach raibh a oiread céille aici le duine eile. Bhíothas ag iarraidh uirthi í a chur i dteach cúraim, ach ní scarfadh sise a choíche léi. Dar liom féin, tá truaighe an tsaoil achan áit.

Chuaigh mé a luí go luath agus d'éirigh mé ar leath i ndiaidh a seacht ar maidin. Bhain bean an tí cúig scillinge díom ar son suipéir bhig éadroim agus ar son na leapa agus an bhricfeasta. Dar liom gur tháille bhithiúnta é. B'fhéidir gur bhain sí tuilleadh díom ar son an chomhrá, nó sin gnás ag lucht díolta agus ceannachta ar na saolta deireanacha, go háirithe ag na Sasanaigh. Níl sé de dhúchas sa Ghael a bheith ina námhaid ag an chomhrá, cé go mbíonn sé dona go leor nuair a bheireas an tsaint air.

15

Bhí an leath a ba mhó de mo chuid airgid caite ach bhí mé i ndiaidh mo scíste a dhéanamh agus mo sháith a ithe, agus bhí an mhaidin maith agus bhí tulacha Cheredigion deas. Níorbh fhada a chuaigh mé go raibh mé ar an talamh chothrom. Fá cheithre mhíle de Aberystwyth casadh croisbhealach orm agus chor mé an bealach a bhí ag dul ó thuaidh.

Nuair a bhí b'fhéidir ceithre mhíle siúlta agam chonaic mé trí thramp romham. Bhí siad ag siúl romham go fadálach agus ní raibh mé i bhfad ag teacht suas leo. Ach bhí fear ina shuí ar thaobh an bhealaigh mhóir agus stop sé iad a bhaint cainte astu nuair a bhí mé ag teacht a fhad leo. Shiúil mise liom ansin, nó tá mé tobann san fheirg, agus dar liom nach dtabharfainn a oiread de shásamh don fhear a bhí ina shuí agus go rachadh sé a bhaint cainte asam. Thiontaigh fear de na bacaigh agus d'amharc sé orm nuair a bhí mé ag dul thart agus má chonaic mé an bás i ndá shúil aon fhir riamh chonaic mé ina shúile-sean é. Dar liom féin, níl a fhios cén sciobol féir, nó cén díog, nó cén Teach Bocht a mbeidh do chorp ina luí ann roimh sheachtain.

Chuaigh mé tríd Chapel Bangor agus ansin thoisigh an talamh dh'éirí cnocach arís. Casadh marcaigh agus conairt sheilge orm agus thug na madaí rása a smúracht orm. Beathach urchóideach an gadhar agus ní raibh a fhios agam nach rachadh siad de léim orm. Bhí na marcaigh ina seasamh i leataobh an bhealaigh mhóir, agus dar leat go dtáinig an smaoineamh tríd cheann na marcach nó bhog siad leo naoi nó deich de shlata agus lean an chonairt iad.

TAL-Y-BONT: Baile deas idir chnocáin agus chaschoill. Bhí an ghrian go haoibhiúil ag dul isteach ann dom, agus ag siúl na sráide dom chuala mé an Bhreathnais a ba bhinne agus a b'umhaile a chuala mé riamh. "An Connachtach béalbhinn ! " arsa mise. " Is cosúil go bhfuil an taobh thiar de achan tír mar an gcéanna." Nuair a bhí mé tuairim ar leathmhíle amach as an bhaile seo chonaic mé an fharraige a bhí ag dul anonn go hÉirinn. Bhí mala síos uaim agus tuairim ar dhá mhíle de thalamh íseal a bhí leath ina sheascann amach go dtí an fharraige. Chroith mé mo hata san aer, nó dar liom go raibh trian amháin de m'aistear déanta, corradh agus céad míle déanta agam trasna na ngarbhshléibhte agus an mhuir mhór ar m'amharc agus mé ar chríoch an tuaiscirt.

Shiúil mé bealach aoibhinn ansin, thiar a chois an chladaigh agus na cnoic ag éirí ar an taobh istigh díom. Bhí dathanna an cheantair seo cosúil le Cill Mhantáin gan amhras ar bith. Tá Éire níos cóngaraí do na tíortha ó dheas, dar liom, in aimsir agus i nádúir an talaimh ná an t-oileán thall. Chuirfinn mar seo é: an taobh thuaidh de Cheredigion cosúil le Cill Mhantáin, Sír Meirionnydd cosúil le Condae an Dúin, agus Caernarvon cosúil le Tír Chonaill. Chuaigh mé tríd mhionbhailte beaga a bhí soiprithe fá sheandroichid, agus beanna agus caschoill os a gcionn. Gheall mé go bpillfinn lá éigin nuair a bheadh ní ba mhó rathúnais agam agus go gcaithfinn tamall san áit seo. Chonaic mé baile beag darbh ainm Taliesin, agus chuir sé a smaoineamh mé an raibh baint ar bith leis an áit seo ag an fhile atá chomh cliúiteach ag Breathnaigh agus atá Oisín againne. Tailiesin, deir siad, a rinne an tairngreacht seo do na daoine:

Tiocfaidh sin péist chíocrach chiar
Go fiáin ón Ghearmáilte anall,
Agus brúfaidh Breatain faoi phian
Ó Shabhairn go Muir Lochlann thall.

Agus beidh Breathnaigh fágtha fann,
Agus teann ag Gaill i ngach dún;
Mairfidh a dteanga agus molfaid Dia,
Ach caillfid a dtiarnas ach Cymru chúil.

Ach d'éis bhlianta na trua,
Tiocfaidh bua Breathnach arís;
Agus gheobhaid lá binn na bua
Lámh uachtair ar coróin is tír.

Tamall i ndiaidh an mheán lae chuaigh mé isteach thar chlaí an bhealaigh mhóir go n-ithinn greim bídh. Nuair a bhí mo sháith agam shín mé mé féin ar mo shleasluí go gcaithinn toit. Cé tím ar ball beag ach tramp ag teacht aniar chugam, fear de na fir a d'fhág mé i mo dhiaidh ar maidin, ceathair nó cúig déag de mhílte siar an ród. Coiscéim anois agus coiscéim arís aige, agus ina dhiaidh sin ní thiocfadh dó gur scoith mé os ceann leathmhíle é.

"Rinne tú coisíocht mhaith," arsa mise, ag scairtigh leis. "Mura bhfuair tú carr cuid den bhealach."

Bhí sé seal beag idir dhá chomhairle cé acu a labharfadh sé nó nach labharfadh. Ach fá dheireadh dúirt sé:

"Ní bhfuair, maise, mé carr ar bith."

"Tá sin ag cur iontais orm," arsa mise, " nó chuaigh mise thart leat ar maidin agus shíl mé go raibh folach cnoc curtha agam ort faoi seo."

Sheasaigh sé ansin gur chuir mé orm mo mhála agus shiúil an bheirt againn síos an bealach mór.

Fear beag íseal éadrom a bhí ann, nach raibh os cionn daichead bliain. Bhí aghaidh fhíneálta bhuí air agus cromóg agus súil bheo ramhar dhubh ina cheann. Tífidh tú na mílte dá chineál sna bailte móra i dtuaisceart na Sasana. Is fiú trácht ar a éide agus ar a eagar.. Bhí siad ag fóirstean don tsaol a bhí aige. Bhí a chuid gruaige fada, agus orlach nó orlach go leith de chúl dubh le feiceáil ris faoina sheanbhearád. Bhí mála maith toirteach ar a dhroim. Bhí dhá chóta mhóra air, agus péire bróg a raibh píosaí gearrtha as na huachtair a gheall ar an tsócúl agus bonn orthu a bhí cinnte orlach go leith ar doimhne.

"Shiúil tusa cuid mhaith den tír ? " arsa mise.

"Níl mé i bhfad sa tír seo," ar seisean, "ach shiúil mé

Sasain uilig agus Albain. As Sasain mé féin, as Yorkshire."

D'aithneoinn sin air gan é a inse ar chor ar bith dom.

" Tá droch-am san áit sin anois," arsa mise.

" Tá," ar seisean, "ó bhí an cogadh ann. Nuair a bhí mise ag teacht i méadaíocht chuaigh mé dh'obair i siopa leathar capall. Thit sin as a chéile i ndiaidh an chogaidh. Chuaigh mé go hAlbain ansin agus bhí mé ag obair ansin go dtáinig an Díomhaointeas Mór i 1923 agus gur fágadh i mo thost arís mé. Rinne mé rún ansin nach ndéanfainn aon lá oibre choíche ar ais."

" Tá an siúl nimhneach mar sin féin," arsa mise.

" Tá," ar seisean, " go háirithe sa gheimhreadh. Ach ní dhéanaim mórán siúil sa gheimhreadh. Fanaim fá Thithe na mBocht. Agus ní chodlaím amuigh sa gheimhreadh; níl mé ag codladh amuigh go fóill. Ní thig le colainn an duine achan sórt a fhuilstean."

" Is fíor duit," arsa mise, agus mé ag smaoineamh go ndearn mé féin ní ba mhó gaisciúlachta ná a shamhail mé.

" Cá háit a dtéid tú," arsa mise, " nuair a chodlaíos tú amuigh ? "

" I gcruacha féir," ar seisean.

" An gcuireann siad iargnó ar bith ort ? " arsa mise.

" Ní dhéan," ar seisean. " A fhad is nach ndéan tú dochar ar bith ní bhíonn siad cruaidh ort. Is gnách liomsa cead a iarraidh codladh i gcruach fhéir."

Dar liom, Sasanach thú dá mbeifeá céad bliain ar an bhealach.

Tharraing mé féin amach toitíní. Ghoill sé riamh orm beag a dhéanamh de dhuine ar bith agus thairg mé ceann dó.

" Níl mé ag caitheamh," ar seisean. " Sin cleachtadh eile a bhfuair mé bua air."

" Is maith a rinne tú sin," arsa mise. " Tá an tobaca ina chleachtadh chóir a bheith chomh holc leis an obair."

Ar ball beag, arsa mise leis:

" Cé acu de na trí thír, Albain, Sasain nó Cymru, is fearr a thaitníos leat ? "

" Fán tuairim amháin," ar seisean go fírinneach. " Tá siad déirceach go leor in achan chuid acu."

Tá formhór an chine dhaonna déirceach. Taitníonn sé níos fearr leo ná a bheith ionraice. B'fhéidir go bhfuil sé níos saoire.

Le linn muid a bheith ag caint air seo cé tímid romhainn ach tramp eile. Sheasaigh sé agus d'fhan sé linn. Breathnach a bhí ann, gearrfhear cnámhach fionnrua a bhfaighfeá a leithéid in áit ar bith in Éirinn. Shiúil an triúr againn linn. Ghlac siad liomsa mar dhuine acu féin, agus is annamh a éiríos sin díom; i measc daoine a bhfuil clú chneasta acu bíthear fuar liom de ghnách. Féadaidh sé go n-abródh a lán de na daoine seo gur duine breá mé, ach duine ar bith a fuair a oiread aithne orm agus gur throid sé liom ní abródh sé gur duine breá mé. Nuair a bhímse pléisiúrtha bím ar nós chuma liom. Ach ní iarrfainn cuideachta ab fhearr ná an bheirt seo.

Níorbh fhada, ar ndóigh, go ndeachaigh muid a chaint ar Chomharsheilbh. Bhí a bheagán nó a mhórán eolais ag an tSasanach air ach ní raibh ag an Bhreathnach.

" Caithfidh sé a theacht," arsa an Sasanach. " Tháinig sé sa Rúis agus tiocfaidh sé anseo."

" Dá dtigeadh sé mar ba cheart," arsa mise.

" Ní thuigim ar chor ar bith é," arsa an Breathnach.

" Is é an rud a thuigimse leis," arsa mise, " cuir i gcás an siopa sin thall: in áit a bheith i seilbh aon duine amháin, agus an duine sin ar a fhaichill ar eagla go ngoidfí a dhath air, ba chóir cead a bheith ag achan duine a dhul isteach agus a rogha rud a thabhairt leis. Ní thabharfadh aon duine leis ach an méid a bhí a dhíth air."

" Humh ! " arsa an Breathnach, agus d'aithin mé air gur mhaith leis an fhaill a fháil.

" Ní thabharfadh," arsa mise, " nó ní bheadh aon duine agat lena thabhairt dó i ndiaidh a ghoid. Bheadh a sháith ag achan duine."

Chuir seo a smaoineamh é. Bhí a fhios agamsa i mo chroí istigh go ngoidfeadh seisean agus go roinnfeadh sé ansin.

Agus bhí a fhios agam nuair nach mbeadh aon duine aige le roinnt leis go gcaillfeadh sé an tsuim sa ghadaíocht. Á, an fhírinne, an fhírinne! Nach beag a shiúlas uirthi, agus nach cóngarach atá sí don tseithe sa té is bréagaí!

Thoisigh mé ansin a bhaint cainte as an tSasanach.

" Tá fiche milliún daoine de bharraíocht i Sasain," arsa mise, "agus ba mhaith liom do bharúil a fháil goidé a ba chóir a dhéanamh leo."

" Ní dhéanfar an ceart leo," ar seisean. " Ach tá a fhios agamsa goidé a ba chóir a dhéanamh leo. Tá neart fairsingí acu san Astráil agus i gCeanada, agus ba chóir iad a chur amach ansin agus oiread de bhun a thabhairt dóibh agus go dtiocfadh leo a mbeatha a shaothrú."

" Tá sin ceart go leor," arsa mise, "dá mbíodh Ceanada agus an Astráil á n-iarraidh, ach níl."

" Níl," ar seisean. " Ba cheart dóibh a rá go bhfuil siad san Impireacht nó amuigh as."

Dar liom féin, tá an Impireacht go fóill ansin.

" Ar scor ar bith," arsa mise, " ní abróinn go dtiocfadh talmhaithe maithe a dhéanamh de chuid fear na mbailte mór, agus sin an cineál atá as obair uilig i Sasana."

" Níl a fhios agam cad chuige," ar seisean. " Tá siad urrúnta go leor agus tuigseach go leor. Agus ní thig le obair an talaimh go bhfuil sí níos deacra a fhoghlaim ná obair ar bith eile."

" Tá siad láidir go leor," arsa mise, " agus tuigseach go leor. Ach bheadh eagla orm nach bhfuil obair talaimh chomh furast sin. Ach ar scor ar bith ní dhéanfadh rialtas ar bith sin, sa dóigh atá ar an tsaol. B'fhéidir go gcuirfeadh siad céad míle amach sa bhliain agus iad ar a gcruadhícheall. Sula ndéanfaí a leithéid de imirce ghlacfadh na hoibrithe lámh an uachtair a bheith acu agus fir ar dóigh a bheith ar a gceann."

D'athraigh muid an comhrá ansin agus thoisigh an dá thramp a chaint ar rudaí a bhain lena saol féin. Thug siad a mbarúil ar Thithe Bochta agus ar fheirmeacha. Bhí a leithéid seo de áit lán luchóg agus a leithéid siúd ró-ghortach. Dúirt an Sasanach fá dheireadh go raibh an t-am againn ár scíste a dhéanamh, agus sheasaigh muid ár dtriúr. Bheir achan fhear acusan ar chloch agus shuigh sé uirthi. Ba é an gnás a bhí agamsa mé féin a shíneadh ar an talamh, ach chonaic mé go raibh ciall ina ngnoithe, agus fuair mé cloch mé féin. Is furast fuacht a fháil as an talamh.

Míle nó dhó ní b'fhaide ar aghaidh ná sin tháinig muid a fhad le Glandyfi.

" An bhfeiceann tú an teach tábhairne seo thall ? " arsa an Breathnach. " Bhris fear isteach ann ar na mallaibh. Ach beireadh air. Ní raibh foighid aige gan a dhul ar meisce nuair a bhí sé istigh."

" B'amaideach é," arsa mise, " gan a chuid gadaíochta a dhéanamh ar tús, agus ansin a chuid ólacháin in áit éigin a mbeadh sé as bealach a námhad."

Dúirt an bheirt eile gurbh fhíor dom, agus thoisigh muid ansin a chaint ar ghadaíocht.

" B'fhiú mótar a ghoid anois," arsa fear acu.

" Bheadh sé deacair mótar a ghoid," arsa mise. " Bíonn uimhir an charr agus ainm an tiománaí ar páipéir acu, agus d'fhéadfaí a lorg a chur fada gairid a rachadh an carr."

Ní raibh cuma orthu go raibh a fhios seo acu ró-mhaith.

Thrácht muid ar fiche cineál eile gadaíochta—bancanna agus oifigí poist, agus de réir sin, agus thug mise cibé eolas a bhí agam dóibh. Chuir muid thart an t-am mar seo gur nocht Machynlleth chugainn.

" Cén baile é seo ? " arsa an Sasanach.

" Machynlleth," arsa an Breathnach.

Thug an Sasanach dhá iarraidh air, agus an triú huair dúirt sé focal éigin a raibh a leath coganta. Bhí sé liomsa go sásta. Tá sé fá thuairim Machunchleat i litriú Gaeilge.

" Níl bailte móra ar bith an taobh seo," arsa an Sasanach, "mar tá an taobh ó dheas. Creidim gurb é Caerdydd an ceann is mó, an phríomhchathair."

" Is é is mó ach níl a fhios agam an é an phríomhchathair é," arsa an Breathnach, ag smaoineamh go raibh na Breathnaigh iad féin ag iarraidh príomhchathair a dhéanamh de Aberystwyth.

"Bhí lá agus ba seo príomhchathair Cymru," arsa mise, ag síneadh mo mhéir chuig Machynlleth, agus mé ag smaoineamh ar an am ar choinnigh Eoghan Ghlinne Dobhair an dáil ansin.

Chuir mé iontas mór ar an tSasanach.

Shiúil muid isteach go Machynlleth. Chuaigh muid thart le ceárta taobh amuigh den bhaile.

"Tá aithne mhaith agam ar an ghabha sin," arsa an Breathnach.

Thoisigh an Sasanach a aithris filíochta:

> Under a spreading chestnut tree
> The village smithy stands;
> The smith a mighty man is he
> With large and sinewy hands.

"Tím go bhfuil toil don fhilíocht agat," arsa mise. "B'fhéidir anois gur chum tú féin corrcheathrú."

"Níor chum," ar seisean. "Tógadh in áit mé nach raibh ach salachar agus gráice ar gach taobh díom. B'fhéidir go gcumfadh dá mbínn im óige san áit a mbeadh áilleacht an domhain fá dtaobh díom, agus mé oideachas agus oiliúint duine a fháil."

Shiúil mise leo isteach lár an bhaile. Ansin nuair a bhí mé ag scaradh leo dúirt mé:

"Go n-éirí bhur siúl libh agus nár éirí sibh tuirseach choíche den cheann scaoilte agus de áilleacht an domhain. Tá saibhreas agaibh atá ceilte ar a lán daoine a shíleas sibh a bheith bocht. Ná déanaigí a mhalairt choíche gan a luach a fháil."

Scar mé uathu ansin, agus d'imigh siadsan ar lorg Theach na mBocht agus chuaigh mise isteach i dteach itheacháin. Ní fhaca mé aon teach ar mo bhealach a ba chosúla le teach in Éirinn ná an teach seo—sin mar déarfá, bhí sé chomh Breathnach agus bhíos teach in Éirinn Éireannach. Bhí pictiúir de

Lloyd George ar an bhalla, mar bhí sé ina fhear óg sular lig sé an ghruaig fhada air agus sular éirigh sé liath. Bhí teastas in airde a bhí ag inse go raibh fear áirithe—fear an tí, creidim—ina bhall den Ord a dtugtar The Ancient Order of Druids air. Thug sé na seanlaethe i mo cheann nuair a bhí Seán Réamainn i ndarna achan teach in Éirinn agus brait ghlasa agus Home Rule os coinne do shúl achan áit.

Bhí mé i mo shuí ag déanamh mo chodach nuair a chonaic mé an " péas " a bhí ag amharc i ndiaidh carranna ar an tsráid ag dul thart leis an fhuinneog. Chuaigh sé isteach sa chistin, agus an dá luas agus chuaigh d'éirigh mise amhrasach. Tá sé de bhua agam go mothaím a leithéid sin sula dtig sé fá shlata dom. D'éist mé tamall agus fá dheireadh chuala mé na focail seo:

" An mhórchuid acu, ní bhíonn a oiread airgid acu agus d'íocfadh a mbealach ar an traen."

Dar liom féin, tá tú cosúil le bunús an tsaoil mhóir, tá tú araiciseach. Agus dar mo shinsir agus dar chliú na hÉireann brisfidh mise do chuid easnach má thig tú do mo chomhair. Tá muid fá mhéid a chéile agus mura mbíodh féin. . . . Chonaic tú ag teacht isteach an baile mé leis an dá thramp agus dúirt tú leat féin: d'fhéadfainn buille a fháil ar an fhear sin. Ach níl an buille sin buailte go fóill.

Tuigfidh tú as rudaí den chineál sin goidé na hachrainn a thig trasna ar dhuine fhiliúnta ag dul ar fud an tsaoil.

D'fhág mé an baile i gceann leathuaire agus lean don bhealach ó thuaidh. Agus b'fhurast a aithne go raibh mé sa taobh thuaidh. Tá na cnoic mín féarmhar sa taobh ó dheas. Ach bhí siad ag éirí garbh anseo. Bhí fiche míle siúlta agam ó mhaidin, agus bhí sé mhíle dhéag idir mé agus Dolgelley agus gan a fhios agam an raibh teach ar bith ar an bhealach. Bhí sé fá uair do luí gréine. Dúirt mé go ndéanfainn siúl fearúil lae, cá bith deireadh a bheadh air.

Níorbh fhada a chuaigh mé gur casadh fear orm agus labhair sé liom go tíorthúil. Tá cuid mhór de na Breathnaigh a bheannaíos an t-am de lá duit. Chuaigh muid a chomhrá. Chuir sé ceist orm carbh as mé agus dúirt mise gur as Éirinn.

"Bhí mé in Éirinn," ar seisean. "Thall i gCondae Luimnigh. Tá, tír bhreá. Bhí siad ag troid an t-am sin agus cuireadh ar mo shúile domsa go raibh mé i gcontúirt, ach dheamhan duine a bhac liom."

"Níor bhac," arsa mise, "agus ní raibh fáth a mbacfadh."

"Tá Éireannach sa Pharlaimint againne sa cheantar seo," ar seisean.

"Ní thiocfadh libh fear ab fhearr a bheith agaibh," arsa mise, "fear a throidfeas a bhealach agus nach mbíonn aon duine ag éirí thuas air."

"Tá sin ceart," ar seisean. "Ní fhaca mise locht ar bith ar na hÉireannaigh. Bhí mé ag obair sna poill ina gcuideachta thuas ó dheas. Bhí fir as achan áit ansin. Bhí fir dhubha féin ann. Bhí siadsan ceart go leor fosta—fir shocaire shuaimhneacha."

"Fir chomh lách agus casadh riamh orm," arsa mise. "Obair mharfach obair na bpoll."

"Thug siad an obair a ba mhaslaí domsa," ar seisean. "Bhí mé láidir. Fear láidir thusa fosta. Bhí mise láidir, agus ní obair fir a thug siad dom ach obair beathaigh chapaill."

Bhí cuma láidir air. Bhí orlach nó dhó agamsa in airde air, ach bhí muid tuairim ar fán mheáchan amháin. Fear mór neartmhar agus gan é cam ina dhearcadh. Thaitin sé liom.

Nuair a bhí muid tamall ag comhrá d'imigh mé uaidh agus shiúil liom agus an gleann ag éirí ní ba ghairbhe. Ag dul ó sholas dó thosaigh an fhearthainn agus thit sí ina tuilte. Tháinig an dorchadas. D'éirigh na cnoic ard. Chuaigh mé tríd bhaile darbh ainm Corris ach níor léir dom cá leis a raibh sé cosúil. Chuaigh mé tríd an bhearna uafásach atá ag dul anonn go bun Chader Idris agus an síon ag baint na súl asam. Bhí sé chomh dorcha agus nár léir dom mórán ach an bealach mór a raibh mé ag siúl air. Uair amháin a chuaigh bus thart liom nocht na solais gleann ar thaobh mo láimhe clí a raibh doimhne uafásach ann.

Níorbh fhada go ndeachaigh mé a dhul síos an mhala.

Agus dar liom gur sin an mhala a ba mhillteanaí a shiúil mé riamh. Síos agus síos liom ó uachtar go híochtar an domhain, agus an oíche ann a ba mhillteanaí a tháinig ó thoisigh mé. Tháinig mé go dtí croisbhealach fá dheireadh thíos sa ghleann agus chonaic mé go raibh mé leath bealaigh, go raibh sé ocht míle eile go Dolgelley. Dar liom, is leor ocht míle fhichead in aon lá amháin; ach, a Thiarna, cá leagfaidh mé mo cheann sa ghleann scáfar seo ? Bhí solas thall uaim ag bun an chnoic agus tharraing mé air.

Ní fhaca mé aon solas riamh a ba deacra a theacht air ná an solas sin. Ní raibh dul agam cosán ar bith a fheiceáil agus streachail mé mé féin thar chlaí agus trasna páirce. Nuair a bhí mé ar an taobh thall den pháirc chonaic mé go raibh droichead faoin tsolas agus gur sin an fáth a bhí leis—a gheall ar an eolas a dhéanamh do dhaoine trasna na habhann. Ach idir dhíogacha agus chlaíocha sceach ní raibh dul agam a dhul a fhad leis an tsolas agus b'éigean dom pilleadh. Chuaigh mé giota eile den bhealach mhór agus chonaic mé clár agus " Path to Cader Idris " scríofa air. Dar liom, tá liom.

Lean mé an bealach seo agus thug sé go dtí an abhainn mé agus isteach ar droichead eile. Choinnigh mé greim ar rál a bhí ar thaobh an droichid, nó bhí an oíche chomh dorcha le poll, agus bheadh sé dorcha oíche ar bith sa ghleann mhill-teanach seo. Nuair a chuaigh mé cúig nó sé de throithe ní bhfuair mé rál ar bith agam agus fágadh i mo sheasamh mé mar bheadh stacán cloiche ann. Dar liom, cinnte, tá an droichead seo briste. Bhí an tuile ag búirfigh fúm agus ní raibh a fhios agam cé acu a bhí mé troigh nó leathchéad troigh os a ceann, nó cé acu bhí an abhainn sé horlaigh nó sé troithe ar doimhne. Creid mise go raibh sé doiligh an dara coiscéim a thabhairt. Ach thug Mac Grianna an choiscéim, d'ainneoin an dorchadais, agus d'ainneoin an uaignis, agus d'ainneoin Chader Idris, agus d'ainneoin na doininne agus na tuirse. Fuair mé mionchlocha faoi mo chosa; bhí leath an droichid ina cheasaigh.

Chuaigh mé suas ansin tríd choillín crann agus chonaic mé

solas tí taobh thall díom. Ach sula ndeachaigh mé a fhad leis casadh seanteach folamh orm. Chuaigh mé isteach ann. Bhí sé chóir a bheith ina bhallóg. Bhí giotaí den cheann go fóill air. Fuair mé coirnéal ann a raibh foscadh agam. Chuaigh mé amach ansin agus bhain mé ualach raithní. Tá raithneach ar bhun Chader Idris atá ceathair nó cúig de throithe ar fad. Bhí sé fliuch báite ach ba chuma liom nuair a bhí braillín an uisce agam.

Ba sin an áit ab uaigní ar luigh mé i rith an tsiúil.

16

Nuair a mhuscail mé ar maidin bhí sé ina thuradh agus grian ann, ach é fuar go leor. Chruinnigh mé mé féin suas agus chuaigh mé síos chun an bhealaigh mhóir, agus fuair mé an chéad amharc ar Chader Idris. Níl sé ach an corradh beag leis na céad troigh níos airde ná Sliabh Domhanghairt ach tá sé cinnte dhá uair chomh toirteach, agus é garbh, droimfhiaclach agus balscóidí bána ar a bharr mar bheadh sneachta ina luí air. Tá sé ocht míle thart bun an chnoic sin go Dolgelley, agus ní mó go rachadh an méid sin leath thart air uilig. Ba bhreá an gleann a bhí faoi mo shúil ag imeacht dom an mhaidin sin, linn chaol fhada ina bhun agus an fharraige idir néall is talamh taobh amuigh de sin. Níl mórán áilleachta sa taobh ó dheas den tír atá inchurtha leis an taobh ó thuaidh.

Shiúil mé suas mala ar bhealach mhór úr. Bhí lorg seanbhealaigh lena thaobh a bhí stróctha scriosta ag na tuilte. Chuaigh mé amach droim fuar deileoir agus shuigh mé ag sruthán amuigh ar an bhlár gur ith mé mo bhricfeasta—arán agus cáis agus uisce.

Bhí an Domhnach ann an lá sin agus ní raibh lúcháir ar bith roimhe orm. Lá doicheallach an Domhnach an taobh thall den uisce, agus bhí eagla orm nach bhfaighinn aon ghreim bídh le ceannach. Nuair a tháinig mé a fhad le teach darbh ainm The Cross Foxes dar liom go n-iarrfainn toitíní. Fuair mé iad. Chuaigh mé giota síos an bealach mór agus isteach a chois na habhann gur bhain mé an fhéasóg díom féin; ní thiocfadh liom dearmad a dhéanamh gur chóir do dhuine a bheith glanbhearrtha Dé Domhnaigh.

DOLGELLEY: Baile cruaidh creagach, dar liom, nach dtabharfá fá dear fuinneoga agus adhmad ann go ceann tamaill. Fuair mé teach itheacháin foscailte nuair a bhí an baile uilig siúlta agam. Ag dul amach as an bhaile dom bhí daoine amuigh ag spaisteoireacht agus d'amharc siad orm agus cuma orthu go raibh truaighe acu dom. Bhí mé chomh bacach le mála folamh san am sin.

Bhí. Bhí na cosa ag tabhairt suas arís. Ní raibh aon chloch mhíle ar an bhealach suas an gleann go Bala, agus cha chreidfeá ach chomh fada agus a ní sé bealach gan clocha mílte a bheith air. Bhí bearradh fuar ar an lá, agus tráthnóna d'éirigh sé polltach. Bhí cnoc Árann siar uaim ina chnap mhillteanach agus ba deileoir a chuma. Bhí mo chosa ag éirí ní ba nimhní le achan choiscéim. Fá dheireadh smaoinigh mé dá mbaininn díom mo bhróga agus na cosa a fhliuchadh san abhainn go bhfaighinn faoiseamh, agus rinne mé sin. Nuair a thom mé san uisce iad, dar liom sháigh mé isteach i gcnap tine iad. Ach ar ball beag fuair mé só mór agus chuaigh a choisíocht arís.

Níorbh fhada go raibh siad chomh holc agus bhí riamh. Chuaigh fear ar rothar gluaisteáin thart liom agus thug iarraidh mo chur amach sa díog. Chrom mé agus thóg mé cloch agus chaith mé air í. Murar bhris mé blaosc na cloigne aige ná bígí ina dhiaidh orm, nó is deacair fear atá ag marcaíocht ar rothar gluaisteáin a aimsiú agus é ag imeacht uait. Dá dtigeadh sé anuas throidfinn é, cé go raibh mé i riocht titim as mo sheasamh, ach is annamh a fhanas fear an díomúinte go bhfeice sé deireadh leis an chomhrac a d'fhuagair sé.

Bhí mé ag feitheamh le Loch Bhala i bhfad sula bhfaca mé í. Loch chlúiteach í, agus níl aon loch sa tír a bhfuil méid ar bith inti ach í féin agus ceann amháin eile. Chonaic mé fá dheireadh í agus tulach glas fá chrainn ar an taobh abhus di agus droimeanna fuara ar an taobh thall. Ní raibh scéimh ar leith ar bith inti. Ar scor ar bith ní raibh fonn mór orm fanacht ag breathnú uirthi, nó bhí an oíche ag teacht agus bhí trí mhíle is fiche siúlta agam. B'éigean dom daoine a bhí ar an bhealach mhór a ligean thart sular bhreathnaigh mé cá ndéanfainn mo nead. Fuair mé geata agus cabhsa maith fiúntach suas uaidh. Chodlaigh mé i scioból bhreá féir an oíche sin an chéad uair ó thoisigh mé, ar an fheirm darb ainm Gwern Hefn, tuairim ar thrí mhíle as Bala.

D'éirigh mé ar maidin agus chuaigh mé síos go bruach an uisce gur nigh mé mé féin. Níor mhaith liom a bheith ag dul isteach chun an bhaile mhóir go mbeadh na daoine ina suí, agus shiúil mé thart ag smaoineamh gur a chois an locha seo a scríobh file na Sasana an *Morte d'Arthur*, agus ag aithris an dáin i sean-ard mo chinn. Isteach liom ansin go Bala agus dá mbínn le crochadh ní thiocfadh liom cuimhniú ar ainm an tí ósta a bhfuair mé mo bhricfeasta ann. Ach is cuimhin liom rud amháin, go raibh cathaoir file sa halla, ceann de na cathaoireacha a thugtar mar dhuaiseanna ag na hEisteddfodau. Shuigh mé inti agus dúirt mé:

Fuagraim duit, a éigis, mo theacht chun do thí
Agus molaim do chathaoir mar chathaoir na rí,
Beirim beannacht agus céad liom as Éirinn anall
Chuig gach aon fhear nár ghéill do chuid béasaí na nGall.

Bhí fear beag íseal ag teacht amach ar dhoras na cisteanadh san am agus tháinig aoibh an gháire air.

" Ar mhiste dom a fhiafraí an tú an file ar leis an chathaoir uasal seo ? " arsa mise.

" Ní mé," ar seisean. Chuaigh sé isteach agus tháinig sé ar ais agus fear eile leis. " Seo anois an file."

Bheannaigh muid dá chéile agus chuir mise tuairisc na cathaoireach.

" Fuair mé ag an Eisteddfod anseo í tá seacht mbliana ó shin," ar seisean.

" Ba mhaith liom an dán a chluinstean," arsa mise.

Ní raibh mórán broslaithe a dhíobháil ar mo dhuine, agus sheasaigh sé ansin agus chan sé cinnte fiche ceathrú. Níor thuig mé ach cuid de ach mar sin féin thóg sé mo chroí, nó rinne muid ciolar chiot de ghnoithe suarach an tí agus an bhaile.

D'iarr sé ansin ormsa dán Gaeilge a rá, agus dúirt mé *Laoi Argain Mhic Ancair na Long*.

Chuir sé ceist orm an mé féin a chum í. Dúirt mise gur den tseanfhilíocht í, ach go dtabharfainn rann dó a rinne mé féin, agus dúirt mé na ceathrúna atá i *gCreach Chuinn Uí Dhomhnaill*.

" Tá glór Breathnaigh i do cheann," ar seisean.

" Tá sé inráite agamsa go bhfuil glór Gaeil i do cheannsa," arsa mise. " Inseoidh mé dóibh in Éirinn gur casadh fear orm anseo a bhí inchurtha lena dhúchas. Inseoidh mé dóibh go bhfuil réim ag baird i gCymru mar bhí nuair a mhair na ríte."

Ansin chuaigh mé amach agus shiúil mé síos a chois an locha agus dhearc mé ar mo dhóigh. Bhí 168 míle siúlta agam le seachtain. Ní raibh fágtha agam ach deich scillinge. Níorbh fhéidir a dhul go hAlbain air sin. Dar liom nach raibh rud ab fhearr dom a dhéanamh na pilleadh go dtí an lóistín a d'fhág mé. Bhí mé céad go leith míle as Caerdydd, agus bhí a fhios agam nach mbeadh ní ba mhó lóistín i dtithe agam, ná ní ba mhó itheacháin i seomraí bídh, ach an blár fuar agus an tráth gortach den bhia a ba saoire a thiocfadh liom a fháil agus uisce an tsléibhe le hól.

Chuaigh mé trasna bharr an locha agus thug m'aghaidh ó dheas. Nuair a bhí trí nó ceathair dhe mhílte siúlta agam chuaigh mé isteach sa ghleann ab áille a chonaic mé riamh sa tír sin. Ní thiocfadh liom a rá gur casadh aon ghleann a ba deise ná é in Éirinn orm, agus is deise an tír Éire ná Cymru. Casadh fear orm agus d'inis sé dom gur Gleann Hirnart, sin an Gleann Fada, ab ainm dó. Chuaigh mé suas an mhala agus nocht coill de chrainn chugam agus na mílte de chlaí sreangach. Bhí a fhios agam go raibh mé ag tarraingt ar an loch a bhfaigheann muintir Learphoill a gcuid uisce aisti. Tháinig mé ar a hamharc ar ball agus dhó nó thrí de thithe beaga a raibh cuma Shasanach orthu ag a ceann.

Luigh mé ar shlait mo dhroma ag bun chuaille an eolais an áit a raibh an dá bhealach ag scaradh, ag dul thart dhá thaobh an locha—nó bhí mé tuirseach. Cé nach raibh ach deich nó haon déag de mhílte siúlta agam ó mhaidin bhí na cosa chomh nimhneach an t-am seo agus go mb'éigean dom an chuid eile den lá a bhaint as an toil. Bhí mé mar sin i rith na seachtaine sin, creaplaithe go gearr i ndiaidh an mheán lae, agus do mo tharraingt féin liom dá m'ainneoin uaidh sin go ham luí. Níor mhaith liom an chumhacht a bheith agam mé féin a fheiceáil ag coisíocht na laethe seo.

Bhí páirc ghlan dheismir ghlas briste isteach sa tsliabh taobh thall díom a bhí mar bheadh duilleog thábla ann. Bhí caoirigh ag innilt inti. Thug mé fá dear dhá chaora agus dhá uan leo. Bhí ceann de na huain chomh ramhar cothaithe agus go raibh sé ar shéala a bheith ró-shách; bhí sé ag diúl ar an dá chaora. Bhí an ceann eile chomh lom agus chomh lag agus go raibh obair aige seasamh ar a chosa. Bhí sé ag dul isteach go faiteach ag iarraidh a dhul a dhiúl ar na caoirigh, agus níl aon uair dá dtéadh sé a gcomhair nach mbuaileadh achan cheann acu chun siúil é. Ba sin an dara truaighe a chonaic mé ar mo bhealach.

A Dhia, dar liom féin, an bhfuil duine ar bith a bhfuil cúram an uain sin air ? Nó an bhfuil sé ordaithe uan ar bith dhá mháthair a bheith aige agus an ceann eile ina dhílleachta ? An bhfuil an dá chaora sin cosúil le lucht an airgid ? An gcothaíonn siad an sách agus an scriosann siad an seang ? Tá eagla orm go raibh barraíocht deifre orm ag baint na tuigse sin as. Bhí sé suas le bliain ina dhiaidh sin sular smaoinigh mé go mb'fhéidir gur ar oiliúint a bhí an dá uan agus go raibh tús ag an cheann ramhar. Tá mé cinnte anois ar scor ar bith gur fiú a oiread uan agus go raibh súil duine éigin ar an chréatúr seo.

Ach mhill sé an tráthnóna orm. Ag siúl na gcúig míle síos a chois an locha dom chonacthas dom nach raibh mé chomh tromchroíoch ó bhí mé sa Rhondda, cé go riabh amharc áilleachta idir uisce agus chrainn agus mhórbheanna ar gach taobh nach bhfaca mé mórán riamh a bhéarfadh bua air.

Tháinig mé go dtí an droichead ag ceann an locha agus casadh croisbhealach orm. Stop mé buachaill óg a bhí ar

145

ghearrán iarainn agus chuir mé eolas an bhealaigh. Bhí ceann amháin ag dul go Sasain agus an ceann eile ag dul ó dheas tríd an chondae a dtugann na Breathnaigh Treibh Bhaldúin uirthi. Lean mé don cheann sin ach bhí mé in achrann gan mhoill. Bhí bealach ag dul taobh mo láimhe deise ar an léarscáil a bhí agam agus bhí sé ní b'aichiorraí ná an bealach coiteann. Shíl mé nuair a casadh bealach ar thaobh mo láimhe deise orm go raibh agam agus shiúil mé trí mhíle sula bhfaca mé nach raibh sé ag dul ach giota isteach sa tsliabh. Dúirt mé go rachainn fá chónaí sa chéad chruach fhéir a chasfaí orm, agus chuaigh. Bhí an t-ádh orm. Ba é an teach deireanach sa ghleann é. Bhí mé ag cuntas gur shiúil mé naoi míle dhéag an lá sin, ach an dóigh a raibh cuaillí an eolais ní thiocfadh liom a bheith cinnte.

17

Ar éirí dom ar maidin phill mé ar ais go dtí bealach mór Llanfyllin. Níor tharla dada an lá seo ach coiscéim agus coiscéim eile, céad coiscéim agus céad eile, míle agus míle eile, suas ó dheas tríd Threibh Bhaldúin. Bhí tús an lae breá, ach tráthnóna thit tuilte fearthainne. Ina dhiaidh sin tá mé ag cuntas go ndearn mé seacht míle is fiche go leith an lá sin agus ní feasach dom goidé a chuir an bhrí ionam. Ní raibh mo chodladh ach gairid oíche ar bith dar chodlaigh mé amuigh agus b'amhlaidh dom an oíche roimhe sin. Ach níl léamh ar intinn an duine; b'fhéidir go ndearn truaighe an uain maith dom.

An lá arna mhárach shiúil mé isteach ar maidin go Newtown agus é ag dortadh fearthainne. Chuaigh mé isteach i siopa a cheannacht aráin. Ní raibh builbhín aráin ar bith sa tsiopa ach thug bean an tí ceann gearrtha gan dada dom.

" Ba cheart duit a dhul chuig na Guardians," ar sise.

Ba sin an chéad uair a fuarthas meas bacaigh orm.

Bhí an lá millteanach. Bhí achan rud ar maos agus ní thiocfadh liom suí agus mo scíste a dhéanamh gan mo mháilín a fhoscladh agus mo bhraillín uisce a thabhairt amach agus a cur fúm. D'éirigh mé tuirseach, agus nuair a tháinig mé go stáisiún Abermule chuaigh mé isteach agus shuigh mé ar an fhoscadh. Agus ansin tháinig cathuithe orm. Smaoinigh mé a dhul ar an traen. Bhí mé i ndiaidh mé féin a mheá agus níor chuidigh sin liom. Nuair a d'fhág mé Caerdydd bhí mé na ceithre clocha déag cothrom in éadach iontach éadrom; bhí ceathair nó cúig de phuntaí caillte agam de fheoil an gheimhridh. Bhí mé tuairim ar an cheart. Ach an lá seo in Abermule ní raibh mé ach trí clocha déag agus sé phunt, agus cóta mór orm a bhí fliuch báite. Bhí mé ag cuntas gur chaill mé cloch iomlán le naoi lá. Dar liom féin, tá sin thar a bheith nádúrtha agus muirfidh mé mé féin. Mhothaigh mé an fliuchlach agus an tuirse agus an t-uaigneas a d'fhulaing mé le naoi lá ag teacht ina gcnap sa mhullach orm agus d'éirigh mé agus bhreathnaigh mé liosta na dtáillí. Agus ansin bheir mé greim orm féin agus rith mé amach as an stáisiún. Nuair a bhí mé amuigh chuntais mé mo chuid airgid agus bhí sé scillinge agam. Ní thabharfadh sin trian an bhealaigh mé. Ach is cinnte dá bhfanainn sa stáisiún go rachainn ar an traen, bíodh ticéad agam nó ná bíodh.

D'imigh mé liom, agus má tá "D'imigh mé liom" go minic sa scéal seo chan gan fáth. Shiúil mé ar mo shuaimhneas ag brath a dhul go Llanbadarn an oíche sin. Chonaic mé cró beag tí in imeall caoráin agus fear bratógach scifleogach ag briseadh isteach garraí ag a thaobh. Bhí sé ag caint le fear eile a bhí ag dul an ród nuair a tháinig mé ar a amharc, agus thaitin an callán agus na mionnaí móra a bhí aige liom. Scairt mé leis:

" Níl a dhath cosúil leis an obair."

" Dar Dia, obair chéasta í seo. Dá mbíodh talamh ann— ach spadar ! "

" An té a tógadh leis," arsa mise, " is fusa dó a ghiollacht."

" Dar Dia, b'fhéidir go mb'fhusa, ach níor tógadh mise leis ar scor ar bith. As an Rhondda mise—as Bargoed. Tá siad ag tabhairt talaimh dúinn anois agus seo an cineál talaimh. Ghlac mise é, mara mbeadh ann ach caitheamh aimsire a bhaint as."

" Níl tú ag obair chomh cruaidh liomsa," arsa mise.

" Ó, dar Dia, níl tusa ag déanamh a dhath ach ar shiúl le caitheamh aimsire duit féin. Nach iomaí do leithéid a bhéarfadh scilling do fhear."

" Chuirfeadh sé iontas ort chomh gann agus tá na scillingeacha agam," arsa mise.

" Cá fhad atá tú ag dul ? "

" Go Llanbadarn ó thús agus go Caerdydd ansin."

" Má tá tú ag dul go Llanbadarn tá aichiorra trasna an chnoic.

Tiontaigh ar thaobh do láimhe clí. Bainfidh tú dhá mhíle de go sásta. Tá bean mhaith fhial i Llanbadarn (ag ainmniú a leithéid seo) a bhéarfadh tráth bídh duit i mbomaite. Ólann sí braon. Ba cheart duit a dhul isteach chuici."

Thug mé buíochas dó agus shiúil liom. Bhí cuma crois-diabhail air agus is minic a fuair mé a leithéid sin ní ba gharaí ná duine cneasta. Bíonn eagla ar dhaoine cneasta a bheith garach.

Chuaigh mé an aichiorra, agus is é mo chomhairle do dhuine gan a dhul aichiorra i dtír choimhthíoch choíche. Tá tú cinnte a dhul ar seachrán. Ní thug an bealach ar thaobh mo láimhe clí go Llanbadarn ar chor ar bíth mé. Thug sé suas go dtí teach sa tsliabh mé. Ní raibh istigh ach bean agus tháinig eagla uirthi romham agus níl ann ach gur bhain mé eolas ar bith aisti. B'éigean dom a dhul trasna páirceanna sula dtáinig mé ar bhealach Llanbadarn. Thug sé amach droim diolba mé agus bhí gaoth chruaidh ann, rud maslach ar choisí, agus bhí an fuacht ag dul go cnámh ionam. Tháinig mé suas le gasúr a bhí ag dul chun an bhaile ón scoil, cé go raibh sé tuairim ar a cúig a chlog.

" Goidé a choinnigh thú ? "

" Ní ligeann siad mo cheann liom go dtí leath i ndiaidh a ceathair."

" Cé an rang a bhfuil tú ann ? "

" An seachtú rang."

" An bhfuil Ailgéabar ar bith agat ? "

D'amharc sé orm agus cuma air nár thuig sé ar chor ar bith.

" Cá háit a bhfuil tú i do chónaí ? "

" An teach sin amuigh ar bharr na malacha."

" An bhfuil sé i bhfad go Llanbadarn ? "

" Tá sé ceithre mhíle, a dhuine uasail."

" Shíl mé nach raibh sé sin."

" Tá sé míle go leith ón teach s'againne go dtí an choill. Tá claí ar an choill agus tá sé lán poll agus bíonn ár gcuid caorach ag briseadh isteach ann, agus tá sé giota fada fada uaidh sin síos go Llanbadarn."

Tháinig mé a fhad leis an choill agus tháinig sé tríd mo cheann codladh inti, ach chuimhnigh mé ar an oíche i nGleann Bhrycheiniog. Ní raibh mé sásta ach a oiread leis an tsiúl a bhí déanta agam agus chuaigh mé míle eile. Chonaic mé teach ansin suas leathchéad slat uaim. Dar liom, rachaidh mé isteach sa teach sin go ndéana mé mo scíste. Shiúil mé suas agus mé ag smaoineamh ar leathscéal. Bhí maide romham, trasna ar dhá bhruach an chabhsa, agus bhí mo lámh air á thógáil nuair a thug mé fá dear go raibh an talamh fásta air. Chuaigh mé isteach faoi. Ní raibh éanlaith nó muca nó mada fán tsráid. Bhí lorgnacha na rothaí sean. Bhí an doras druidte. Ní raibh cuma air go raibh aon duine ina chónaí ann le fada nó aon duine ag amharc síos siar ina dhiaidh.

Dar liom, seo mo lóistín anocht. Chuaigh mé go dtí an doras agus d'fhéach mé é, ach bhí an glas air agus comhla úr dhaingean air nach mbeadh furast a bhriseadh. Bhí na fuinneoga in ordú mhaith agus na glais orthu taobh istigh. Smaoinigh mé bomaite beag agus dúirt mé go raibh sé ró-amaideach agam a dhul a bhriseadh isteach tí agus an lá geal ann, agus shiúil mé liom.

Ach nuair a chuaigh mé míle síos an bealach mór chonaic mé nach raibh mé baol ar ag Llanbadarn go fóill. Agus san am chéanna tháinig sé tríd mo cheann go dtiocfadh liom tine a fhadú sa teach fholamh agus oíche shóúil a bheith agam. Shuigh mé ar an tsliabh agus mé idir dhá chomhairle. Is deacair le duine pilleadh ar an talamh atá siúlta aige, agus ní thig leat briseadh isteach i dteach gan dearcadh fá dtaobh díot. Fá dheireadh thug samhailt na tine orm pilleadh.

Bhí sé go díreach ag dul ó sholas de nuair a tháinig mé a fhad leis an teach. Bhreathnaigh mé thart a chúl. Bhí bruach a bhí ceithre troithe ar airde suas taobh thiar de, agus clais shalach idir é féin agus an balla. Bhí moll de sheanfhéar fhliuch ar an ardán taobh thall de sin agus forc sáite ann. Ní raibh cuma orthu gur bogadh le fada iad, mar thiocfadh an bás nó an ruaig ar fhear na toirce i lár a chuid oibre.

Chonaic mé rud a thóg mo chroí, fuinneog bheag ar chúl an tí agus gloine inti nach raibh greamú ar bith air ach píosa de eangach iarainn taobh amuigh de á choinneáil ina áit. Tharraing mé amach mo scian agus rois mé an eangach iarainn sin de na tairní i ndá bhomaite. Tháinig an gloine liom, agus bhris mé é sula bhfuair mé breith air. Bhain mé díom mo mhála agus chaith mé isteach é. Ansin chuir mé mo cheann isteach.

Bhí fairsingeach ag mo dhá ghualainn a dhul tríd, agus ní raibh ann ach go raibh. Streachail mé mé féin isteach agus casadh i seomra bheag cúil mé mar bheadh seomra níocháin ann. Bhí dhá sheomra eile ann agus áit tine, agus a oiread trioc agus go raibh sé saibhir i súile an ruagaire reatha a tháinig ón tsliabh. Bhí stól agus bucaeid agus cupaí agus fiche rud eile ann. D'fhéadfainn a dhul a chónaí ann.

An chéad rud a rinne mé breith ar an bhucaeid go dtugainn isteach bucaeid uisce. Bhí sí ró-mhór le dhul amach ar an fhuinneog agus bhrúigh mé na taobhanna aici go ndearn mé an béal cúng go leor le a dhul amach. Más iontach an scéal é níor smaoinigh mé riamh ar na fuinneoga tosaigh a fhoscladh. Chuaigh mé síos trasna an bhealaigh mhóir go dtí abhainn a bhí sa ghleann agus thug mé aníos bucaeid uisce agus chuir mé isteach ar an fhuinneog chúil í. Bheir mé ar an fhorc ansin agus chuir mé cúpla céad féir isteach ar an fhuinneog. Ansin chruinnigh mé lán m'uicht is m'ascallaí de bhrosna agus chaith mé isteach é. Chuaigh mé féin isteach ansin.

Bhí sé chomh dorcha le poll istigh sa teach an t-am seo, agus bhí obair mhíshásta agam ag tabhairt an fhéir agus na slisneach isteach chun na cisteanaí. Chuir mé gráinnín féir agus moll cipíní in áit na tine agus chuir mé lasóg iontu. Ach bhí an féar ró-thais, agus i ndiaidh mo dhícheall a dhéanamh leis ní lasfadh sé. De bharr ar an ádh d'fhág mé bocsa na lasóg as mo láimh agus ní thiocfadh liom é a fháil. B'éigean dom a dhul thart an t-urlár ar mo cheithre boinn agus mé ag mothach-táil le mo láimh go dtáinig mé air fá dheireadh. Ansin bhain mé duilleog as mo leabhar nótaí agus d'éirigh liom an tine a dheargadh. Bhí a oiread adhmaid agam agus go ndearn mé craos breá tine. Ag déanamh mo shuipéir dom, idir an tuirse agus an teas, bhí mo cheann ag titim idir mo dhá chois darna achan bhomaite. Rinne mé leaba den fhéar fhliuch agus chodlaigh mé chomh sóúil agus a chodlaigh mé ó baisteadh mé.

Níl a fhios agam cé acu a chonaic aon duine solas sa teach ar uair an mheán oíche nó nach bhfaca. Níl a fhios agam cé acu a chuaigh scéal gáifeach fá thaibhse a chonacthas idir an abhainn agus an teach, nó fá chorp a chonaictheas ina luí ar sop féir an uair dhuibheagánach roimh an lá—níl a fhios agam cé acu a chuaigh scéal den chineál seo ar fud an cheantair nó nach ndeachaigh. Ach tá a fhios agam nuair a bhí mise ag imeacht ar maidin nach bhfaca mé aon duine do mo chomhair agus nár casadh aon duine ar an bhealach orm go ndeachaigh mé go Llanbadarn.

Bhí a oiread de neart ionam i ndiaidh scíste na hoíche agus go raibh rannta filíochta ag teacht liom, agus ní thig filíocht le fear ach nuair a bhíonn an corp agus an intinn ar fheabhas. Sin an fáth a bhfuil an fhilíocht chomh gann ar an tsaol agus atá sí. Tá an fhilíocht ag an duine mar atá an bláth ar an chrann; is í an áille í a thig roimh an toradh. Bhí mé ag cur rannta mar seo i ndiaidh a chéile:

> Tháinig mé ón tsliabh roimh ghrian na maidne
> 'S gan liom ach Eoghan Ghlinne Dobhair;
> Níor mhothaigh mé aniar ag triall an ghleanna
> Ach céimeanna taiseann a mhair fad ó. . . .

Ach níorbh fhada gur imigh na rannta as mo cheann, nó thoisigh an fhearthainn agus thug an tAibreán le fios dom go raibh sé i mo dhiaidh go fóill. Ach rinne sé turadh i dtrátha an mheán lae. Nuair a tháinig mé go dtí áit bheag darbh ainm Uanbister fuair mé pota tae déanta réidh agus d'ith mé mo chuid aráin féin leis.

Nuair a bhí mé ag tarraingt ar Llandrindod bhí sé ina thuradh agus bhí grian bhreá ann. Tá clú mhór ar an bhaile seo mar áit sláinte agus, go dearfa, dar liom féin go raibh brí san aer. Nuair a chuaigh mé go dtí an baile fuair mé tithe ósta móra ann agus ba mhó agus ba loinnrí teach ósta na mótar ná ceachtar acu; is iad na mótair is fearr a gheibh lóistín ar na saolta deireanacha seo. Tháinig éad agus gruaim orm sa bhaile seo. Bhí éad orm leis na mótair féin, nó bhí a oiread siúlta agam an t-am seo agus go raibh mé do mo chur féin i gcomórtas le mótar. Mhuscail an t-éad agus an ghruaim pian na gcos agus shíl mé go bhfaighinn bás. Chuaigh mé isteach i bpáirc taobh amuigh den bhaile agus shuigh mé ar stól, agus níl a fhios agam goidé a thug neart dom éirí arís.

I dtrátha a naoi a chlog an oíche sin chuaigh mé isteach go Builth agus bhí mé ar an bhealach a shiúil mé ag dul ó thuaidh. Chuaigh mé amach Glanwye agus chuartaigh mé cruach fhéir. Shíl mé go raibh agam, nuair a chonaic mé fear ag teacht amach as an teach agus solas leis agus shiúil mé liom. Nuair a bhí mé ceathair nó chúig de mhílte amach an gleann chuaigh mé isteach i ngarraí eile. Bhi mada ina luí san fhéar agus chuaigh sé a dhoicheall ach rinne mé mór leis. D'éirigh sé agus d'imigh sé, agus bhí sé le léamh air chomh sothuigthe agus dá mba duine é go raibh sé ag glacadh liom in aghaidh a chéile.

Bhí mé ní ba shásta i m'intinn an oíche sin. Bhí siúl maith déanta agam agus bhí mé fá dheich míle is trí fichid do Chaerdydd, agus bhí aireas agam go raibh bua an tsiúil liom.

18

Ag dul tríd an ghleann dom an lá arna mhárach ba é an smaoineamh a ba mhó a bhí ar m'intinn go raibh an t-airgead ag éirí gann. Chaith mé sé pingne eile ar phota tae i Llyswen agus ina dhiaidh sin ní raibh agam ach scilling agus naoi bpingne. D'amharc mé ar mo léarscáil agus chonaic mé go mbeadh obair agam a dhéanamh i ndá lá, ach bhí aichiorra romham agus ceantar úr, sa dóigh nach mbeadh fiachadh orm an tír chéanna a shiúl athuair.

Bhí lúcháir orm fán aichiorra sin ar dhá dhóigh. Bhí ceantar romham a bhí as bealach an tsaoil mhóir, agus ceantar chomh deas agus chonaic mé. Bhí sé idir mín agus garbh gan a bheith ró-bhog. Agus bhí achan rud ina leathchodladh. Chuaigh mé isteach ann tráthnóna ach bheadh sé ina thráthnóna ar maidin féin ann. Chuaigh mé a fhad le baile beag darbh ainm Llangorse agus nocht loch chugam thall in ascaill na gcnoc. Tá lochanna gann i gCymru. I ndiaidh Llangorse a fhágáil chuaigh mé amach go Bwlch agus na ba ag gabháil chun an bhaile ar an bhealach mhór. Chuaigh mé a chuartú aráin agus ní raibh aon dada sna siopaí. Ach bhí píosa liom agus cheannaigh mé ubh amháin agus d'ól mé fuar í. Tháinig falsacht orm an oíche sin agus chomh tiubh agus chuaigh sé ó sholas bhain mé cruach fhéir amach. D'fhéadfainn go sásta cúig mhíle eile a dhéanamh. Ba sin an chéad fhalsacht a bhuail mé sa tsiúl.

Teacht an lae bhí mé i mo shuí arís. Ní raibh bia ar bith agam ach ní raibh ach tuairim ar chúig mhíle go Crickhowell. Ag siúl an bhealaigh mhóir dom smaoinigh mé go mb'fhéidir go dtiocfadh liom rud éigin a bhí ag fás a ithe. Ach ní raibh dada le fáil agam ach garraí cáil, agus thug mé liom planda agus d'ith mé romham é go ndeachaigh sé a theacht i m'aghaidh.

Níl sé furast cál fuar a ithe, go háirithe má tá sé glas.

Tá Crickhowell chomh deas le aon bhaile dar casadh ort riamh agus gan tú ag dúil leis, ina shuí ag bun na gcnoc agus an tseanchuma air a bheir anam do bhaile. Chuaigh mé isteach ann agus cheannaigh mé leathphionta bainne agus luach dhá phingin is leathphingin de arán. Chuaigh mé suas sráid taoibhe agus shuigh mé ag bun seantí a bhí cosúil le caisleán agus rinne mé mo chuid. Thaitin an tamall sin liom ní b'fhearr ná mórán dar chaith mé ar an astar. Is beag an rud a chuireas mothú filiúnta i nduine agus dar liomsa go raibh mé ar imeall an domhain anseo, i mo shuí ag bun an tseanchaisleáin sa bhaile a ba scoite a chonaic mé riamh. Ní raibh ainm an chaisleáin agam ná ainm an chnoic úd thall. Ní raibh mé á n-iarraidh. Cérbh fheasach dom nach raibh Tír na hÓige ar an taobh eile den chnoc agus nach gcasfaí i lár an tsaoil mé a bhím a shamhailt nuair a bhím liom féin, sula dtéinn míle den ród ?

Ach ní chuireann an duine agus an t-am le chéile. Mhuirfeadh an t-am muid ach go bé go bhfuil geimhil againn air agus é roinnte ina bhomaití agus ina uaireanta, agus go bhfuil gníomhartha againn a choinníos cúl air, gníomhartha atá amaideach go leor. Níor thuig mé riamh goidé an chiall a bhí leis an dóigh a gcaitheann muid ár saol. D'éirigh mise agus chuaigh mé a choisíocht, agus d'fhág mé an sonas agus ghlac mé an t-anró folamh de rogha air. Dá dtairgfí neamh don duine ní ghlacfadh sé é, agus tá sin fíor fán té is santaí chomh maith leis an té is sóntaí. Mura gcreide tú sin toisigh a dhéanamh maithis ar dhaoine go bhfeice tú. Tá muid chomh gann in intleacht agus in anam agus nach gcuireann a dhath is lú ná eagla an bháis ar ár gcorr muid. Ní cara d'aon duine thú, agus ní cara aon duine duit.

Bhí mé ag smaoineamh mar seo, agus mé ag siúl an bhealaigh mhóir, nuair a chonaic mé bille ar clár in aice liom. Duine a tógadh in Éirinn tá gnás aige billí a léamh; bíonn gáir chatha nó broslú iontu de ghnách. Sin an fáth ar amharc mise ar an bhille seo. Seo an scríbhinn a bhí air:

OF WORLD-WIDE FAME

The Prophecies
of
JOANNA SOUTHCOTT
are proved undeniably true by their fulfilment.

She left a box of sealed writings over 100 years ago, which was ordered to remain unopened until sent for by twenty-four Bishops or clergy representatives in a time of National Stress. It is prophesied in her writings that England will not find peace until this is done. It is then promised to be the first HAPPY, ENLIGHTENED LAND to help the other nations. Books and information (enclose stamp) can be obtained from

THE SOUTHCOTT CENTRES

Dar liom féin cé deir nach bhfuil creideamh ag na Sasanaigh agus nach smaoiníonn siad ach ar nithe saolta ? Shíl muid in Éirinn nach ndearn aon duine tairngreacht ach Colm Cille. Dá gcuirfí tairngreacht Cholm Cille ar clár níl a fhios agam goidé an chosúlacht a bheadh uirthi ! Mar seo:

CHUALA AN SAOL IOMRÁ
ar
THAIRNGREACHT CHOLM CILLE.

Idir speal is corrán a thiocfas an cogadh. An seachtú bliain déag beidh Éire ramhar le fuil. An t-ochtú bliain déag, mo léan, cá ndeachaigh na fir? Beidh súil ar gach slodán, agus buataisí ar gach breallán, agus gearradh maith Béarla i mbéal na ngasúr, ⁊rl, ⁊rl.

Gheobhaidh sibh leabhair agus eolas óna leithéid seo.
(Cuir stampa sa litir)

Ach ní thiocfadh liom a shamhailt, go háirithe an stampa. Ní thiocfadh liom smaoineamh ar chuid tairngreachta Cholm Cille dá haithris in áit ar bith ach ag tine mhóna i gcuideachta a raibh achan duine ag tuigbheáil an duine eile inti, agus scáth millteanach na gcnoc amuigh, agus an fharraige mhór ag greadadh na mbreac-chreagach, agus seanturas thall úd agus uaigneas fíochmharach an domhain os cionn leaba na naomh.

Thug an méid sin míle eile den bhealach mé. Chuidigh an aimsir liom, nó bhí an lá breá, go dtáinig mé go dtí an dara baile. Ansin chonaic mé lód guail agus tháinig na tithe suaracha a thug luaith an ghuail i mo cheann, tháinig siad ar ais chugam. Thit mo chroí mar thiteas an ruaim leis an fhabhair. Bhí mé ag dul isteach sa Rhondda. B'amhlaidh a ba mheasa mé le linn fios a bheith agam go raibh an Rhondda romham agus nach raibh mé ag teacht ina láthair gan chloí, mar a bhí an chéad uair.

Brynmawr ab ainm don bhaile seo agus bhí mo rogha de thrí bhealach agam go Caerdydd. Má ba chóir rogha a thabhairt air, nó bhí siad chóir a bheith an fad amháin agus iad faoi bhailte móra uilig. Chuaigh mé ar aghaidh go raibh mé i mbaile darbh ainm Sirhowy agus thug mé na trí pingne is leathphingin dheireanach a bhí ar an tsaol agam ar bhuilbhín aráin. Chuaigh mé suas taobh mo láimhe deise ag croisbhealach ag tarraingt ar Rhymney. Nuair a bhí mé ag dul tríd an bhaile seo chonaic mé " péas " mór ina sheasamh ag coimhéad lucht carranna. D'amharc muid ar a chéile agus d'imigh mise liom. Bhí aireas agam go rachadh sé do mo stopadh, agus ná fiafraigh díom cén fáth. Mhothaigh mé fead bheag taobh thiar díom. Ní thug mé aird ar bith uirthi. Ansin scairt sé liom. Bhí sé i ndiaidh mé a leanstan deich slata an t-am sin. Sheasaigh mé.

" Cá fhad tá tú ag dul ? " ar seisean.

" Síos an gleann," arsa mise.

" Goidé do ghnóithe ? " ar seisean.

" Nach bhfeiceann tú go bhfuil dhá chois orm ? " arsa mise.

Bhí dhá shúil aige, dar leat, a bhí ina gcodladh ar fad. Ach d'fhoscail sé iad an t-am sin.

" Cá fhad síos an gleann atá tú ag dul ? "

D'amharc mise ar an ghréin.

" De réir mar bheas am agam. Go Caerphilly, b'fhéidir. An bhfuil tú sásta anois ? "

D'imigh mé liom. Ní raibh rún ar bith agam a dhul go Caerphilly an oíche sin, ach dar liom go mb'fhearr é a chur ar seachrán.

Níorbh é díobháil áit scíste an locht a ba mhó a bhí ar an Rhondda ach bhí sé deacair áit chodlata a fháil. Ba sin an rud a thug ormsa stad an chéad mhíle de thír a casadh orm taobh thuas de Abertwsswg, cé go raibh an lá geal ann. Chuaigh mé suas taobh an chnoic agus rinne mé leaba raithní, agus bhí mé i mo luí ansin ag coimhéad ar lánúineacha amach agus isteach an bealach mór.

Tháinig an oíche agus líon na gleannta de sholais. Dar leat go raibh réalta na spéire uilig scabtha ar fud an Rhondda. Bhí áthas orm ag amharc orthu, agus bhí áthas orm fosta nach raibh ach lá amháin eile siúil romham, dá mhéad tuirse dá raibh orm.

Bhí lá breá ann an lá arna mhárach, Dé Domhnaigh. Níl mé cinnte anois cé acu a bhí cáis agam ar mo bhricfeasta nó an t-arán agus an t-uisce amháin. Chuaigh mé tríd na bailte ceann i ndiaidh an chinn eile, New Tredegar, Pengam, Llan-bradach, Caerphilly, go dtí go raibh mé amuigh as an Rhondda. Tá mala mhór suas ó dheas ón bhaile dheireanach seo, agus bhí sé socair im intinn agam go n-íosfainn an greim deireanach bídh a bhí liom ag barr na malacha seo. Bhí a oiread de fhonn orm a dhul suas an cnoc seo agus gur shíl mé nach ndéanfainn a choíche é. Bhí daoine amuigh ag spaisteoireacht tráthnóna Dé Domhnaigh agus gan ann ach caitheamh aimsire acu, ach bhí mise ag troid ar son gach coiscéime agus trí chéad míle de mhasla agus de fhuacht agus de ocras i ngreamanna le mo dhá chois. Fuair mé a fhad leis fá dheireadh. Bhí eolas agam ar an áit, ar an teampall bheag adhmaid nach raibh mórán ní ba mhó ná carr a bhí in aice an róid, ar bhuna seanchaisleáin a bhí thall i bpáirc ar thaobh mo láimhe clí agus a bhí mé a bhreathnú an mhí roimhe sin. Chuaigh mé isteach thar an chlaí agus líon mé mo bhuidéal de uisce agus d'ith mé go dtí nach raibh grabhróg aráin fágtha ar an tsaol agam. Luigh mé ansin ar chúl mo chinn agus rinne mé mo scíste go sásta. Ní raibh sé ach tuairim ar a cúig a chlog.

Rinne mé na seacht míle isteach go Caerdydd agus mo chroí éadrom. Tháinig ceann na sráideann chugam mar bheadh ladhara portáin ann, agus chonaic mé an ceo os cionn na dtor agus na simléar, agus thug mé fá dear chomh híseal suarach agus bhí cathair faoin spéir i gcomórtas le cnoc. Nead seangán, arsa mise.

Bhí m'astar déanta. Bhí bród orm. Dá gcuireadh aon duine ceist orm goidé an fáth a bhí leis an tsiúl bheadh obair agam freagra a thabhairt air. Ba é mo bhealach féin é. Neartaigh sé m'intinn agus chruaigh sé mo cholainn. Bhí méid ann. Bhí sé deacair. Agus ní thabharfadh aindiabhail ormsa riamh an rud a bhí beag agus a bhí furast a dhéanamh. Bhí tús maith déanta agam. B'fhéidir lá éigin go siúlfainn thart ar an domhan. Mharaigh sé cuid mhór den amaidí a thig tríd cheann duine a mbíonn masla ar a intinn. In áit a bheith critheaglach ina dhiaidh bhí mé réidh le a raibh de anró ar an domhan a ionsaí. Bhí tairbhe eile bainte as agam nach bhfuil furast a inse, smaointe a tháinig trasna i bhfad siar i m' intinn mar thiocfadh néalta trasna bhun na spéire. Ní thiocfaidh siad liom go fóill ach tiocfaidh siad lá éigin nuair a bheas mo choite faoi sheol agus mé ar shiúl liom ar an mhuir nach bhfaca súil. Tá an saol uilig taobh thall den scáth bheag focal a chuir muid air, agus ní hionann ciall thall ansin agus abhus, an áit nach bhfuil muid ach ag siúl le gnás agus le comhairle, mar bheadh daill ag déanamh an eolais dá chéile. B'fhearr liom a bheith corr ná a bheith ceangailte. B'fhearr liom siúl sa ré dorcha ná a bheith dall.

Gurb é sin timpeallú na Cymru go nuige seo.

19

Fuair mé airgead as Éirinn a thug anall mé, agus d'fhreastail mé pasáid shaor a bhí ar cois fá choinne daoine a bhí ag dul chuig rásaí Churrach Chill Dara. Ar an ochtú lá dhe shamhradh rinne mé cuan agus calafort i Laighnibh. Ba sin an chéad uair a thug mé fá dear an méid féir a bhí ag fás ar thalamh na hÉireann—bhí a oiread ar thaobhanna an bhóthair iarainn agus a bhí ar pháirceanna na Sasana—agus an méid talaimh a bhí ag dul amú. Bhí an lá breá agus bhí cnoic Chill Mhantáin chomh meallacach agus a bhí riamh, ag tarraingt isteach go Baile Átha Cliath dom.

Ach tá locht amháin ar Éirinn: tá spadántacht, agus féadaim a rá fuacht, inti nach mbíonn i dtíortha eile. Is cuma leat fá aon duine agus is cuma le aon duine fá dtaobh díot. Agus níl áit ar bith is fusa sin a thabhairt fá dear ná i mBaile Átha Cliath. Chonacthas dom riamh i mBaile Átha Cliath nach raibh a fhios ag aon duine ar an tsráid go raibh mé ar an tsaol seo ar chor ar bith. Níorbh fhada a bhí mé ann go ndeachaigh mé fá na haicíocha, mar deireas an t-iascaire. Thug mé cuairt ar an Chaladh Mhór go bhfeicinn an raibh an bád a thug mé liom an bhliain roimhe sin, *An Mhaighdean Mhara*, ann. Bhí sí ansin, ina luí mar bheadh dearmad déanta aici. Thoisigh mé a smaoineamh ar an amhrán a rinne Aodh Ó Dónaill, fear de chuid filí Rann na Feirste, Aodh Mór " a rugadh faoin chinniúint nárbh fhéidir a thabhairt in éifeacht." Ba seo údar an amhráin:

Bhí deartháir ag na filí darbh ainm Mánus, fear nach mbeadh cuimhne ar bith air dá mbíodh sé ar theaghlach ar bith eile. Fágálach beag a bhí ann, agus nuair a bhí an fear deireanach de na filí marbh, agus nach raibh fágtha ach Pádraig agus Mánus, dúirt Pádraig amach i lár theach na faire: "A chomharsana, nach trua libh mise inniu ina mhuinín sin mar dheartháir ! " Shíl siad nach bpósfadh Mánus choíche. Bhíodh sé ag dul thart ina sheanbhuachaill bheag agus cruit air, ach chuaigh sé amach go formhothaithe oíche amháin agus fuair sé bean. Tá sé sa tseanchas gur thit a bhríste de ar an ócáid, ach bíodh ag an méid sin. Tháinig oíche mhillteanach gaoithe móire i ndiaidh na bainise agus spreag sin an t-anam ag Aodh, agus haibhsíodh dó gur fearg a bhí ar chumhachtaí na haimsire cionn is gur bhog Mánus ina chraiceann. Thoisigh sé a dhéanamh ceoil de bhád a d'imigh leis an tsruth oíche na doininne. Agus fiafraím de chainteoir dhúchais ar bith nach bhfuil ardfhilíocht sa chéad rann ?—

Is gasta mar sheol tú leat, a bháid mhóir, nuair a
    chuala tú pósadh Mhánuis,
Trasna an Deán Mór 's anonn ar Ghaoth Dobhair ag
    tarraingt ar bhord na Spáinne . . . .

Thoisigh mise agus chuir mé mo bhail féin ar an amhrán, mar d'fhóir dom féin agus do mo chuid imeachtaí:

Amach ón Chaladh Mhór 's ba leat a bhí an chóir 's tú
    ag tarraingt ar bhord na Spáinne.
Cérbh ionadh do thriall nuair a chuala tú an scéal ?
    Gur fágadh tú scabtha 'do chláraí,
Agus craiceann bó ciar ó Mhóin Almhan aniar go raibh
    greamaithe do thaobh an ámaid.

Nuair a bhí mé tamall i mo shuí ag breathnú na farraige d'éirigh mé agus phill mé isteach chun an bhaile mhóir, nó ní raibh dul agam dearmad a dhéanamh de m'imní.

Fuair mé seal cruaidh na laethe seo ag cuartú lóistín. Ba é an rud a bhí a dhíth orm an lóistín a ba saoire a thiocfadh a fháil. Shiúil mé an mhórchuid de na sráideanna cúil agus teas marfach ann, agus cuid de na mná lóistín nach raibh sásta liomsa agus cuid nach raibh mise sásta leo. Fá dheireadh, lá amháin a bhí mé istigh i siopa ag ól gloine bainne, chuir mé ceist ar fhear an tsiopa.

"Tá beirt sa tsráid seo," ar seisean. "Uimhir a trí déag, ach ní mholfainn duit a dhul ansin. Ach má théid tú go huimhir a sé déag tá sé ceart go leor. Abair gur chuir mise ansin thú."

Chuaigh mé féin síos go huimhir a sé déag. Bhí cuma mhaith taobh amuigh air, é dhá sheomra ar airde agus garraí agus geata ar a thosach. Nuair a bhuail mé ag an doras tháinig fear amach, gan air ach a veiste agus a bhríste. Bhí ceann dlúth gruaige air agus ba chosúla a dhreach le fear tíre ná le fear baile mhóir. Bhí toirt chothrom ann fosta. Thaitin sé liom.

"An bhfuil seomra le suí anseo agat?" arsa mise.

"Tá," ar seisean.

"Chuir fear an tsiopa seo thuas chugat mé," arsa mise.

"Tar isteach," ar seisean, agus thoisigh sé a chomhrá.

"Creidim anois go mbeadh neart airgid agatsa," ar seisean. "Tá cuma ort go bhfuil oideachas agat agus go bhfuil post maith agat."

"Is é mar tá sin de," arsa mise, "tá mo sháith agus barraíocht oideachais agam, agus bím ag scríobh do na páipéir, agus in amanna bíonn tuilleadh is mo sháith airgid agam, agus in amanna bím gann go leor. Thig liom mo bhealach a íoc."

Ba náir liom a rá go raibh mé saibhir agus mé ag iarraidh lóistín sa tsráid seo.

"Tá airgead i leataobh agam féin," ar seisean. "Níl mé ag obair san am i láthair. Ghortaigh mé mo dhroim agus tá mé ag dúil le damáiste ar a shon. Bíonn siad i dtólamh ag cur ceisteanna orm agus níl a fhios agam cé acu is fearr dom a dhul a dh'obair nó gan a dhul."

Ní raibh a fhios agam féin cé acu amadán nó fear cliste é.

"Ná déan obair ar bith," arsa mise. "Ball fealltach an droim. Dá dtéitheá dh'obair anois b'fhéidir go dtiocfadh sé leat arís."

"An síleann tú sin anois ? " ar seisean. "An bhfuil tú eolach ar na gnoithí sin ? "

"Sin mo bharúil," arsa mise.

Thug sé suas mé go bhfaca mé an seomra. Tá aithne agam ar fhir a mbeadh sé gairid go leor acu le luí ann, agus ní raibh ann ach go raibh áit ag mo leaba-sa ann. Bhí cuma bhocht ar na ballaí. Bhí an teach i bhfad ní ba mheasa an taobh istigh ná a bhí sé an taobh amuigh. Chuir mé ceist cá mhéad a bhí an cíos agus dúirt sé gur sé scillinge. Rinne muid margadh ar chúig scillinge agus fuair mé seilbh ar mo lóistín.

"Tá mo mhála le fáil anois agam," arsa mise, agus chuaigh mé amach.

Nuair a phill mé bhí bean an tí istigh agus d'iarr sí orm a dhul isteach chun na cisteanaí. Bean de chuid bochta Bhaile Átha Cliath a bhí inti agus níor thaitin sí ró-mhór liom. Bhí an chisteanach iontach salach. Bhí an teach uilig millte a dhíobháil aire. Nuair a chuaigh mé suas a luí ní raibh mo sháith éadaigh ar an leaba agus bhí seanphlaincéad stróctha uirthi nach gcuirfinn ar bheathach cheathairchosach. Chuaigh mé síos chun na cisteanaí agus d'iarr mé tuilleadh éadaigh. Tháinig smúid orthu, go háirithe ar an fhear, ach thug siad an t-éadach dom.

An lá arna mhárach chuaigh mé amach a sheilg bídh. Fuair mé amach sráid a dtiocfadh liom toirtín aráin a fháil inti a bhí punt meáchain ar thrí leathphingní. Pingin eile ar phionta bláiche agus bhí mo bhricfeasta agam. Fuair mé a mhacasamhail eile i lár an lae agus greim teacht na hoíche. Chuir mé thart seachtain ar an dóigh seo. Bhí an aimsir mar d'iarrfadh mo bhéal a bheith. Bhí mé amuigh faoin aer i rith an lae agus bheadh éad ar dhuine ar bith liom as an chuma fholláin a bhí orm.

Lá amháin cé a tím ag tarraingt orm ar an tsráid ach an cailín fionn, Macha Mhongrua a casadh orm thall i Learpholl.

Ná bíodh ceist ort nó d'aithin sí mé, agus bhí muid ag comhrá go dtí go mb'éigean domsa a rá go raibh deifir orm, cé nach raibh dada ar an domhan mhór le déanamh agam

Ní dhéanfadh a dhath maith dise ansin ach fios a fháil cá raibh mé ar lóistín, agus dar liom gur mhó an leas ná an t-aimhleas a inse di.

An lá arna n-órthar tháinig sí ar cuairt chugam. D'inis sí go raibh sí ag cur mo thuairisce an lá roimhe sin ach nach raibh mé istigh.

"Goidé faoi Dhia an seort lóistín atá agat?" ar sise.

"Ó, seo áit a bhfuil daoine mórluachacha go leor ar lóistín inti," arsa mise. "Tá dochtúir againn, agus fear nó dhó eile nach raibh umhal nó íseal lá den tsaol."

"Níl fear an tí i gceart," ar sise.

"Tá a chiall féin aige," arsa mise.

"Ní raibh sé ag brath mise a ligean isteach ar chor ar bith," ar sise. "Ní raibh a dhath de mhúineadh air liom."

"Tá sé ag iarraidh airgid damáiste ar son gortaithe," arsa mise, "agus shíl sé cinnte gur ag spíodóireacht air a bhí tú."

"Caithfidh sé gur sin é," ar sise. "Bhí sé in amhras ormsa ar tús, agus ansin thug sé isteach mé agus thug sé tae dom. Rinne sé cuid mhór comhrá liom, agus an tseinm a bhí air! Bhí sé ag caint ortsa mar dhuine. 'Tháinig sé isteach anseo,' ar seisean, 'agus gan fios againn cé é féin. Ar feadh a bhfuil a fhios agamsa b'fhéidir gur John Dillinger é'."

Rinne mé mo sheanracht gáire faoi sin. San am seo bhí an tseilg i ndiaidh John Dillinger agus gan dul acu é a fháil. Tá mé cinnte nach bhfuil duine ar bith a bhfuil dúil i ngaisciúlacht aige nach bhfuil cuimhne aige ar an bhuachaill seo a choinnigh cuid oifigeach stáit an Oileáin Úir ina dhiaidh i rith an tsamhraidh sin. Bhí bród ormsa gur cuireadh síos dom gur mise é.

Bhí go maith is ní raibh go holc go dtáinig an lá arna mhárach. Bhí mé amuigh i rith an lae, agus bhí sé i ndiaidh a haon déag a chlog ag pilleadh ar mo lóistín dom. Bhí mé deich lá sa teach an t-am seo. D'íoc mé cíos na chéad seachtaine an lá a chuaigh mé isteach agus bhí mé ag brath cíos na dara seachtaine a ligean go dtí an lá deireanach. D'fhoscail fear an tí an doras dom.

" Dá mbítheá mórán ní ba mhaille bheimis 'ár luí," ar seisean.

Lig mise seo thar mo chluais.

" Bheadh dona go leor dá bhfágfaí ar an tsráid mé," arsa mise ina ghreann.

" Thiocfadh leat a dhul suas chuig na gardaí agus bhéarfadh siad isteach thú," ar seisean.

Chuir seo mise ar mo chorr, cé go raibh mé ag smaoineamh ar John Dillinger agus nach dtiocfadh liom fearg a bheith orm.

" Goidé an t-olc atá déanta anois agam ? " arsa mise.

" Ní choinníonn muidne aon duine nach n-íocann ar shon a bhealaigh," ar seisean.

" Níl fiacha ar bith agaibh ormsa," ar mise.

" Tá," ar seisean, " cíos seachtaine againn ort."

" Níl," arsa mise. " Agus anois as a bheith chomh hamhrasach agus tá tú ní bhfaighidh tú an dara pingin uaim."

" Gabh amach as mo theach," ar seisean.

" Rachad agus fáilte," arsa mise, " agus is beag a bhéarfadh orm do dhroim a bhriseadh."

" Chá bhrisfeá ná a shaothar ort," ar seisean.

Bhí mise ag barr an staighre an t-am seo agus bhí seisean ag imeacht siar chun na cisteanaí, agus ní tháinig buillí ar bith as an chaint. Thug mé liom mo mháilín agus shiúil mé amach. Chuaigh mé suas go teach mo dhearthár. Bhí siad ina luí. Bhuail mé tailm ar an doras. Chuir Séamus a cheann amach ar an fhuinneog.

" An bhfuil tusa cinnte," arsa mise, " nach mé John Dillinger ? "

" Tá," ar seisean.

" Má tá," arsa mise, " gabh anuas agus lig isteach mé."

Níor fhan mé ach dhó nó trí 'laethe. Ní raibh comhrá ar bith le fáil agam ach corrfhocal fá chluichí liathróide; an comhrá a bhíos ag an Ghael a phós agus a shocair síos agus nár bhain agus nár chaill. D'aidmhigh Séamus dom nár léigh sé aon leabhar le bliain. Chomhairligh sé dom post a fháil. Dúirt mise dá dtigeadh bláth bán ar na postaí an tseachtain sin go bhfaighinn post ar an mhí seo chugainn. Bhí muid ag éirí tostach le chéile achan lá. An lá a ba mhó a bhí muid le chéile, tá mé ag déanamh nach dtiocfadh linn a bheith ar an aon intinn fán aird a raibh an ghaoth ag séideadh aisti. An ceathrú lá d'éirigh mé agus d'imigh mé.

Casadh beirt orm an lá sin a raibh aithne le blianta agam orthu. Bhí baint le Gaeilge acu agus bhí fear acu ina scríbhneoir. Bhí fear acu an t-am seo sa Státseirbhís, agus an fear eile i bpost den chineál chéanna féadaim a rá. Ní thiocfadh liom mo chomhrá a dhéanamh leo. Thug mé iarraidh scéal a inse dóibh, ach nuair nach raibh baint ag an scéal le obair an lae sin ní éisteodh siad leis. Bhí páipéar scrúdaithe ag fear acu agus ní raibh ann ach nár thiontaigh sin mo ghoile. Mise a shíl go bhfaca mé a ndeireadh trí bliana déag ó shin ! D'imigh mé agus d'fhág mé iad. Bhí siad ina námhaid agam. Bhí Gaeil agus Gaill ina námhaid agam.

> Ag sin, a bhéildearg ba bhinn,
> M'aon eagla ar tír is ar toinn:
> Fionn is a Fhiann ar mo dhroim
> Is mé gan bhia i gcúil chumhaing.

Fuair mé lóistín ag baintreach a bhí chomh bocht liom féin agus chuir muid suas i gceart le chéile seal an tsamhraidh.

20

D'fhág mé an lóistín seo i ndeireadh an tsamhraidh. Fuair mé dhá sheomra, ceann le codladh ann agus mo chuid cócaireachta a dhéanamh agus ceann eile le bheith ag scríobh ann.

Bhí an teach seo ar theach chomh salach agus ar sheasaigh mé ar an urlár riamh ann. Bhí a oiread cuileog sa tseomra chúil agus a bhí san Éigipt nuair a chuir Maoise an mhallacht orthu. Bhí an dá sheomra uachtair agamsa, agus bhí an teaghlach ina gcónaí ar íochtar, fear óg agus a bhean agus beirt pháistí; agus uair nó dhó dár chuir mé mo cheann isteach chonacthas dom nach bhfaca mé daoine saolta ina gcónaí i bpoll chomh salach leis riamh. Ní raibh siad ró-dhícheallach, de réir mar chonaic mé. Gréasaí a bhí san fhear agus b'fhéidir go ndéanfadh sé gnoithe maith go leor dá mbíodh bean mhaith aige. Ach b'fhearr léi-se ina suí ag léamh ná ag glanadh an tí. Níor chóir domsa a bheith anuas ar an léamh, ach tá léamh agus léamh ann. Ní raibh maith sa chineál a léadh sí; an té a dtig leis leabhar maith a léamh thig leis obair a dhéanamh fosta. Bhí an bhean seo cosúil le cuid mhór de mhná an ama i láthair. Bhí sí lán de mhian an tsaoil agus gan inmhe nó úsáid ar bith inti. Is beag bean anois a bhfuil maith ar bith inti. Thig leo obair a dhéanamh in oifigí, ach ná hinsíodh aon duine domsa go ndéantar obair in oifigí; tá mé ró-shean faoi seo. Níor lú orm an diabhal riamh ná bean fhalsa; an áit ar tógadh mise gheobhadh bean fhalsa bás mar gheobhadh iasc ar an talamh thirim. Ach dá olcas na mná is measa na fir atá againn san am i láthair. Is é rud a bhíos siad ag fanacht go bhfeice siad ar fhág tú leathphingin ina luí gan choimhéad in áit ar bith. Níor thaitin an fear seo liom ach lán ní ba lú ná an bhean, ach ní tháinig achrann ar bith eadrainn go dtí go raibh mé sé nó seacht dhe sheachtainí ann.

Fán tsolas a tháinig an chéad iaróg. Bhí an miosúr céanna ag freastal na seomraí thíos an staighre agus mo sheomra tosaighse. D'iarr siad orm mo sholas a fháil ceangailte do mo mhiosúr féin, ach dúirt mise go gcuirfinn pingin ina gceannsan achan uair dá mbeadh sé a dhíth orm. Thoisigh an choimhlint ansin cé againn a ba mhó a bhainfeadh as pingin an duine eile. Rinne mise comhar maith go leor leo go dtí go bhfaca mé gur thoisigh siad ar an rógaireacht. Ansin d'oibir mé amach dóigh a mbeinn ag dó a gcuid solais an mhórchuid den am. Fuair mé coinneal agus lasainn í nuair nach mbíodh tine ar bith ar an tsreang. Nuair a chuireadh siadsan pingin sa mhiosúr chuirinnse an choinneal as agus lasainn an solas eile. Oíche ar bith a gcuireadh siad pingin sa mhiosúr go mall shuínn go mbíodh an drithleog dheireanach dóite agam, dá mba i ndán is go mbeadh an trian deireanach den oíche ann. Níor chleas a bhí indéanta ag fear filiúnta é ach, mo chomhairle duit, gread an bithiúnach a choíche mar ghreadas an gabha an t-iarann dearg ar an inneoin, agus dá laghad an bhithiúntacht is amhlaidh is mó an bithiúnach. Toisíonn an bithiúnach i gcónaí le rudaí beaga, nó tuigeann sé an rud nach dtuigeann an dea-fhear, go mbogann an rud beag an rud mór.

Ní thiocfadh leis seo mairstean, nó tá sé ráite gur lú ná frigh máthair chointinne. Oíche amháin dúirt bean an tí liom go gcaithfinn imeacht. An lá arna mhárach chuaigh mé amach ar lorg lóistín eile. Ach de bharr ar an ádh ní tháinig liom lóistín a fháil agus b'éigean dom pilleadh an oíche sin arís. Nuair a tháinig mé ar ais tháinig bean an tí aníos agus an fear coiscéim taobh thiar di agus dhearg siad orm.

" Tá cíos seachtaine againn ort,'' ar siadsan. Bhí mé glan go dtí an lá roimhe sin.

" Tá seacht lá sa tseachtain an áit arb as mise,'' arsa mise. " Agus anois tógaigí oraibh nó dhéanfaidh mé m'aimhleas libh.''

Lig mé búire asam féin agus chuir mé slat ar a gcúl iad. D'imigh fear an tí amach agus thug sé isteach garda. Ach ní thiocfadh leis an gharda réiteach ar bith a dhéanamh. Bhí fear an tí fada buan ag iarraidh mo mhealladh amach as an tseomra ach ní thug mé aird ar bith air. Bíonn cleasanna den chineál sin ag daoine ainbhiosacha i gcónaí. Dá bhfaigheadh sé mise amach as an tseomra ní raibh cead agam a dhul isteach arís. D'imigh an garda fá dheireadh.

Chuir mise an glas ar an doras agus chodlaigh mé go sámh an oíche sin. Nuair a d'éirigh mé ar maidin chuaigh mé go dtí mo sheomra tosaigh agus fuair mé an glas ar an doras. Bhí mo chuid bagáiste uilig sa tseomra, agus lámhscríbhinn b'fhéidir nár mhaith le hÉirinn a cailleadh. Bhí fear an tí amuigh ag a chuid oibre. D'iarr mé an eochair ar bhean an tí agus dúirt sí go raibh sí lena fear. Lig mise búire asam féin go muirfinn í, agus scanraigh sí agus rith sí amach, creidim ag dul chuig an fhear. Bhris mise an doras ansin agus thug liom mo chuid bagáiste. Ní fhaca mé an péire sin ó shin.

Fuair mé lóistín ansin i dteach bhreá fhairsing a raibh seomraí móra ann agus cuma air go raibh sé ag daoine mór-luachacha lá den tsaol. Bhí seomra acu seo agam agus an garraí a bhí ar chúl an tí. Ba ghnách liom siúl aníos agus síos an garraí agus mé ag smaoineamh ar scéalta nó ag meabhrú ar olc agus ar anró an tsaoil.

Ní raibh mé ach dhá lá sa teach nuair a casadh fear orm sa doras nach raibh mé ag dúil leis ina leithéid d'áit. Ní mórán eolais atá ar uaisle agamsa, ach d'aithneoinn gur fear uasal an fear seo dá mbíodh a leath dóite. Bhí cuma air go raibh sé ar leathmheisce. Bhí muid ár mbeirt ag tarraingt caol díreach ar a chéile. Dá mhéad saibhreas agus clú dá raibh aige, dá mba bodach é chuirfinnse as an bhealach é, sin nó bheadh gualainn mhaith láidir air, rud nach raibh. Ach tríd thine agus uisce agus dhraighean agus dhreas, Gael mise, agus tá urraim agam d'fhear uasal. An té a bhfuil fuath ar fhear uasal aige loitfeadh sé cú nó capall rásaíochta, agus an té a loitfeadh cú nó capall rásaíochta bhainfeadh sé braillín de chorp. Tá barraíocht cainte fá cheart an duine shuaraigh. Fuair an duine suarach cead a chinn le céad bliain agus is olc an gnoithe a rinne sé. Sheasaigh mise i leataobh go liginn thart é.

Ach in áit a dhul thart sheasaigh sé.

" An dtiocfadh leat iasacht chupla scilling a thabhairt dom ? " ar seisean.

Má shíleann tú nach bhfuair sé iad níl aithne agat ormsa.

Tháinig bean an tí a chaint liom nuair a chuaigh sé amach.

" Bhí sé ag iarraidh airgid ort, tím," ar sise. " Níor chóir duit aird ar bith a thabhairt air. Sin Tiarna Ghleann na gCraobh. D'fhág a athair a oiread saibhris aige agus cheannódh leath Bhaile Átha Cliath agus d'ól sé uilig é. Bhí a bhean ina luí le haicíd na gcnámh nuair a tháinig an báillí á gcur amach as an teach agus hiompraíodh amach ar leaba ghualann í. Fuair sí post beag sa chathair ina dhiaidh sin agus bhí sí tamall ag dul isteach chuig a cuid oibre le dhá chroisín. Níl seisean ag stopadh anseo ar chor ar bith. Tig sé isteach a amharc uirthi agus a iarraidh luach ólacháin uirthi. B'éigean domsa a ordú amach ar a dó dhéag a chlog san oíche ar mhéad agus bhí ólta aige, agus shuigh sé amuigh ar suíochán ar an tsráid i rith na hoíche. Níl maith a bheith leis; ní thig tabhairt air stad den ól. Tá mallacht ar an teaghlach. Tá tobar beannaithe ar an státa agus ba ghnách le daoine a bheith ag déanamh turais go dtí é. Chonaic an tiarna na daoine ag tarraingt ar an tobar agus chuir sé ceist goidé a bhí siad a dhéanamh. Hinsíodh dó. Bhí beathach breá capaill aige agus chaill sé amharc na súl. ' An t-uisce a leigheasas duine ba chóir dó beathach capaill a leigheas,' arsa an tiarna, agus thug sé an beathach go dtí an tobar. Deir siad go dtáinig an drochrath air ina dhiaidh agus gur lean sé dá shliocht agus do shliocht a shleachta go dtí an lá inniu."

" A Róisín, ná bíodh brón ort fár éirigh duit," arsa mise; " is tú Oileán na Naomh go fóill ! "

Chuntais mé cibé pingneacha a bhí agam, agus an dara huair a tháinig an tiarna chun an tí cheannaigh mé buidéal uisce bheatha. Chuaigh mé go dtí an doras agus bhuail mé aige. Tháinig sé agus d'fhoscail sé é chomh seachantach agus chomh mórluachach agus dá mbíodh sé ina chaisleán féin.

" Beir bua agus beannacht, a Thiarna Ghleann na

gCraobh," arsa mise. " Ná síl gur a bhrú caidrimh le buntáiste ar dhóigh an bhodaigh a tháinig mise. Shíolraigh tusa ó thiarnaí, ach shíolraigh mise ó ríthe. Téid fréamh de mo shinsir siar a fhad le Mánus Ó Dónaill a bhí ina rí ar Thír Chonaill sa seisiú céad déag, nuair a bhí flaitheas agus forlámhas ag Cineál Chonaill ar threabha teanna tréamanta ón Ghleann Mhór in Albain go hIar-Chonnacht."

" That's demned interesting," arsa Tiarna Ghleann na gCraobh.

" Is é mo thuras chun do dhúin," arsa mise, " a thairis-cint corn fíona duit mar chomhartha caidrimh agus comhbhá. Ólaimis sláinte na seanuasal, agus sláinte na n-óguasal atá ar shiúl anois le seachrán an tsaoil."

Thug an tiarna cuireadh pléisiúrtha isteach dom agus shuigh muid fán bhuidéal. Ní raibh an comhrá chomh furast agus ba mhian liom ar tús ach théigh muid de réir a chéile. D'inis mise cuid de mo chuid imeachtaí dó. D'inis mé dó go raibh mé ag siúl le bacaigh an bhealaigh mhóir níos lú ná leathbhliain roimhe sin, agus go bhfacthas dom gur chuir mé cnoc agus gleann ina suí in aice a chéile ar mhodh na háilleachta nuair a bhí mé ag ól le tiarna an oíche sin. Ní dhearn sé iontas ar bith mé a bheith ag siúl le bacaigh. Níl uaisle ná bacaigh, níl ceachtar acu beadaí.

An lá arna mhárach chuaigh achan duine againn lena ghnoithe, nó lena bheag de ghnoithe, agus ní dhearn muid iontas ar bith dá chéile. Seachtain nó dhó ina dhiaidh sin d'fhág bean an tiarna an lóistín. Throid bean an tí léi, agus is dóigh liom gurb é an fáth a bhí leis sin mise mór a dhéanamh leis an tiarna. Tá an saol iontach.

Níorbh fhada ina dhiaidh sin gur fhág mise an lóistín. Is deacair liom fanacht níos mó ná ráithe in aon áit amháin. Nuair a bhíos na trí mhí nó fán tuairim sin thart, tig sé tríd mo cheann go bhfuil rud éigin ag fanacht liom in áit éigin eile. Títhear dom in amanna go bhfuil mé ag teitheadh ar eagla go n-éireodh mo chomharsa ró-eolach orm agus go gcuirfeadh siad ar an iúl leo féin mé. Títhear dom amanna eile go bhfuil

171

rún ag an tsaol atá ceilte orm agus go gcaithfidh mé a bheith ag siúl go bhfaighe mé fios air. Corruair sílim gur mé Seanchán Toirpéist ar shiúl ar lorg an Táin Bó Cuailgne. Ach is minic a bhíos eagla orm go musclóidh mé maidin éigin agus go dtabharfaidh mé fá dear go bhfuil mé aosta, mar rinne Oisín nuair a bhris gad tarr an bheathaigh leis nuair a thóg sé an mála de na fágálaigh. Is iomaí uair, ar ndóigh, a dúirt mise le scríbhneoirí na Gaeilge: " Pleoid oraibh, a mharlaí, an ea nach bhfuil dul agaibh an máilín a thógáil ? " Agus thóg mé an máilín achan iarraidh. Uair amháin ba é *Dochartach Dhuibhleanna* é; uair eile ba é *Ar an Tráigh Fhoilimh* é; uair eile ba é *Creach Chuinn Uí Dhomhnaill* é; agus uair eile arís ba é *Séamas Mac Murchaidh* é. Ach is iomaí uair a tháinig an tsamhailt chreathnach sin romham: an gad tarr ag briseadh agus mé ag titim chun talaimh, agus fir ag teacht orm agus gramadach nó bunchúrsa ceapadóireachta leo.

Ach ní chreidim go fóill go muirfidh siad mé. Mharaigh siad Pádraig Ó Conaire, ach is dóigh liom go ndearn sé barraíocht iontais díobh. Chreid sé go raibh tairbhe éigin iontu. B'fhéidir go dtáinig corrbhomaite air ar chreid sé go raibh an ceart acu. Ach dá mbíodh an ceart féin acu ní aidmheoinnse é. Déanadh siad a rogha olc, treabhfaidh mise an t-iomaire atá romham. Gheobhaidh mé a mbua lá éigin, agus tá aireas agam gur beag an rud a bhuailfeas i ndeireadh ama iad. Má tá mise cráite tá siadsan cloíte. Tá siad ag cur in iúl dóibh féin go bhfuil siad sa taobh láidir, ach tá siad féin ag feiceáil nach bhfuil ann ach cur i gcéill. Tífidh mise toradh mo chuid oibre le mo linn agus beidh m'ainm i mbéal fear Éireann agus Alban.

Agus féadaidh cách a fhiafraí cé hiad iad. Tá, an taobh dhorcha de m'anam féin. Tá, mo leathchairde. Tá, iarsma Chomhdháil Chill Choinnigh, an chuid sin de Éirinn a bhíos Gaelach agus Gallda san am chéanna. Tá cuid acu i gConradh na Gaeilge, tá cuid acu sna Poblachtóirí, tá cuid acu sna Comharsheilbheoirí, tá cuid acu i bhFianna Fáil, tá go leor acu i gCumann na nGael, agus go leor acu nach bhfuil i gcuid ar bith acu seo. Na daoine a d'fheall, de thairbhe gan deor amháin de fhuil na bua a bheith iontu. Daoine a throid go leor, agus a bhí dána go leor, ach a throid i gcónaí ar son an bheag de mhaith. Daoine a raibh focal mór acu agus díomúineadh iontu, ach a bhfuair a muintir féin a mbua, agus a bhfuair a gcuid ban a mbua, agus a bhfuair gleo agus loinnir an bhaile mhóir a mbua, agus a bhfuair míghreann na gcailleach agus Lao an Óir a mbua. Na daoine a chastar ar dhuine achan áit agus nach lig an eagla dóibh amharc ort, agus má amharcann tú orthu a ní gáire urchóideach. Na daoine a chruinnigh ciall nuair a ba chóir dóibh neart a chruinniú.

Agus na daoine eile, in Ultaibh, i Laighnibh, sa Mhumhain agus i gConnachtaibh, mo bheannacht dóibh ! Má chaill siad níor chaill, agus má bhuaigh siad níor dhochar dóibh é. Bhí siad sin liom riamh. Beidh siad liom choíche.

Agus tá mo bhealach féin romham ar fad. Tá sé ag triall thart le binn an tí seo agus ag imeacht idir chrannaibh san oíche agus bagar an Mhárta os a chionn. Tá cnoic go deireadh an tsaoil ina dhiaidh, agus tá curadh cosanta na mairnéalach roimhe agus é ag greadadh an dorchadais ó neoin go béal maidne lena chlaíomh solais. An teach seo a bhfuil mé i mo shuí ann, bhí Liam Ó Flaithearta seal ina chónaí ann, agus tháinig Pádraig Ó Conaire isteach anseo agus rinne sé a chomhrá nuair a bhí sé ag siúl go Baile Átha Cliath lena bhás. Níorbh fheasach domsa seo go raibh an teach glactha agam. Ní feasach domsa cén dara cearn a rachaidh mé, ach tá a fhios agam go dtiocfaidh na hiontais chugam agus gan mé ag dúil leo. Tá an saol mór lán den fhilíocht ag an té dar dual a tuigbheáil, agus ní thráfaidh an tobar go deo na ndeor. Agus a fhad agus mhairfidh mise beidh mé ag déanamh an eolais chun an tobair seo do Chlanna Gael.